チャットジーピーティー

ChatGPT &

日経PC21 編

ウィンドウズ コパイロット

Windows Copilot

最新のAIが
あなたを助ける
──最強の相棒に！

実践PC仕事術

日経BP

● 本書の解説画面は、2023年8月中旬時点のものです。各社のサービスやソフトウエアのアップデートにより、画面のデザインやメニューの名称、動作などが変わる場合があります。
● マイクロソフトは「Bing」の各種サービスを「個人的に非商用目的で使用するためにのみ提供される」としています（法人向け有料版を除く）。ビジネス目的で使用することは、サービス規約に違反する場合があるのでご注意ください。
● 本書で紹介する「Windows Copilot」の機能は、2023年8月中旬時点のプレビュー版に基づいています。利用できる機能や画面のデザイン、ライセンス形態などは、正式版では変わる可能性があります。

はじめに

　2023年前半、世界は「ChatGPT（チャットジーピーティー）」の話題で持ち切りとなりました。**ChatGPTは、ユーザーが入力した質問や要望を解釈して、その答えを返すAI（人工知能）のサービスです。**チャットで対話するような形で利用できることから、「チャットAI」や「対話型AI」などと呼ばれます。米国のベンチャーOpenAIが開発し、2022年11月末に公開しました。

　チャットができるAIは以前から存在しましたが、ChatGPTのクオリティーは "革命的" とさえ評されます。質問に対して自然な文章で回答できるだけではありません。**情報の検索から文章の翻訳・要約、文書作成や物語の執筆、プログラミングまで、その多彩な能力には本当に驚かされます**（図1）。

　知らない言葉や物事を調べるとき、多くの人はGoogleで検索すると思います。ネットで何かを調べることを俗に「ググる」といい、「グーグル先生に聞

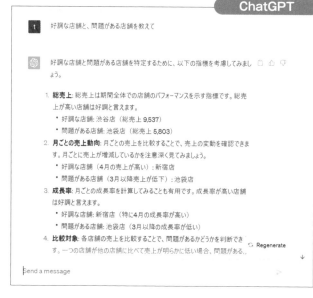

図1 OpenAIのチャットAI「ChatGPT」の画面例。店舗ごとの売上表を渡したうえで表の分析を依頼したところ、各店舗の実績を比較分析し、好調な店舗や問題のある店舗を洗い出してくれた。チャットAIでできることは多岐にわたるが、ビジネスにおいても活用の幅は広い

く」などと表現する人もいます。しかし今後は、「ChatGPT先生に聞く」のが当たり前になるかもしれません。グーグル自身、そのような状況を予見したのか、2023年2月に急遽、同様のチャットAI「Bard（バード）」を対抗馬として発表・公開しました。情報の検索だけでなく、翻訳やデータ処理、文章やプログラムの生成まで可能であるチャットAIの将来性を考えれば、IT分野の勢力図がガラリと変わる可能性すらあります。グーグルが焦りを感じるのも当然といえるでしょう。

マイクロソフトも本腰、「Windows Copilot」を投入

そして2023年2月には、マイクロソフトも「新しいBing（ビング）」としてチャットAIのサービスを開始。同社はOpenAIに巨額の出資をしていますので、その技術を自社サービスに取り込むことで覇権を狙っています。

その際たるものが、「Windows Copilot（コパイロット）」と呼ばれるWindows 11の新機能です。**OSが標準でチャットAIを搭載し、ユーザーがパソコンを操作したり、情報を検索したり、さらには業務を効率化したり、課題を解決したりすることを支援**してくれます（**図2**）。

多くの人々が利用しているWindowsにチャットAIが標準搭載されれば、誰もが気軽にチャットAIを利用でき、身近な存在として頼れるようになるでしょう。そうなれば、私たちのパソコンやインターネットの使い方も激変するはずです。調べ物があればチャットAIに聞く。文書やメールを書くときはチャットAIに下書きをお願いする。悩み事もチャットAIに相談。市場調査やデータ分析もチャットAIに依頼する。そんな"AIまかせ"が当たり前になり、仕事の進め方や働き方も大きく変わることでしょう。

一方で、そんなチャットAIの限界や課題も見えてきています。何でも知っ

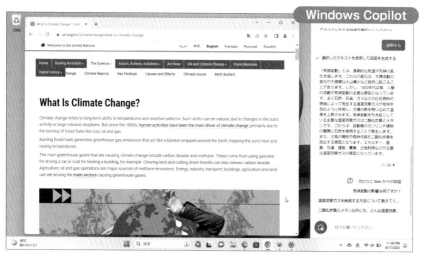

図2「Windows Copilot」に頼んで、英語のウェブサイトの内容を日本語で説明してもらった例（画面の右側、図はプレビュー版）。パソコンの操作やPDFの要約などもアシストしてくれる

ているように思えるチャットAIですが、「求めた答えを得られない」といった不満や、「平気で嘘をつく」といった悪評も少なくありません。しかし、だからといって「チャットAIは使い物にならない」と判断するのは早計です。期待通りの回答にならない原因は、あなたの質問の仕方にあるのかもしれません。チャットAIにもわかるように質問をすれば、適切な答えが返ってくる確率が高まります。チャットAIの答えが不正確な場合があることも事実ですが、その実情を踏まえたうえで上手に付き合えば、チャットAIは"超優秀なアシスタント"になり得ます。

　今後はビジネスにおいてもプライベートにおいても、チャットAIが当たり前の存在になっていくでしょう。だからこそ、チャットAIの賢い使い方、頼り方を身に付けると同時に、注意点や限界を理解しておく必要があるのです。本書が、その一助になれば幸いです。

日経PC21編集長　田村規雄

CONTENTS

第3章

109 | Excel×ChatGPT仕事術

CONTENTS

第4章

161 Windows Copilot攻略法

## 第1章

チャットAIの基本

「ChatGPT」が世間をにぎわせています。質問や要望を入力して送ると、すぐさまそれに答えてくれる無料のチャットAIサービスです。マイクロソフトとグーグルも同様のAIサービスを開始。仕事でもプライベートでも、チャットAIはもはや無視できない存在です。チャットAIに何ができるのか、どう使えばよいのか、欠点はないのか……。基本から解説します。

文／五十嵐 俊輔、石坂 勇三、服部 雅幸

誰でも使える「生成AI」に乗り遅れるな！

　人間のリクエストに応えて文章や画像を自在に生み出す──。これが最近話題のAI（人工知能）を使ったウェブサービス、いわゆる「**生成AI**」だ。爆発的なブームとなった背景には、一般ユーザーが無料で利用できるサービスの相次ぐ登場がある。必要な道具はウェブブラウザーだけ。処理はサーバー側で行われるのでパソコンに高い性能は要求されず、誰でも手軽に利用できる（**図1**）。

　「ChatGPT（チャットジーピーティー）」に代表されるテキスト生成AIは、

誰でも使えるネットサービス

生成AI

ブラウザーで
手軽に利用できる

サーバー側で
人工知能が働く

図1　生成AIの多くはブラウザー上で利用するウェブサービス。AIによる処理はサーバー側で行われるのでパソコン側にハイスペックは必要ない。現状では無料で利用できるものが多いが、高機能な有料版も登場してきている

人間と自然な文章で対話できることから「チャットAI」「対話型AI」などと呼ばれる。これまでのネット検索に革命をもたらす存在と期待されている。

検索のパラダイムシフト、サービスは三つどもえ

従来のネット検索サービスは、調べたい事柄に関するキーワードを入力すると、関連性が高いウェブページを列挙した。検索結果は玉石混交なため、目的に合うページを探すのは結構な手間だ。これに対し**チャットAIは、質問を投げかけると、目的の情報そのものを即答してくれる**。さらにプログラミング能力まで備える点がスゴイところ。動作を文章で依頼すれば、それに沿ったコード（プログラム）を自動生成してくれるのだ（**図2**）。

▶話題のチャットAIはネット検索とここが違う

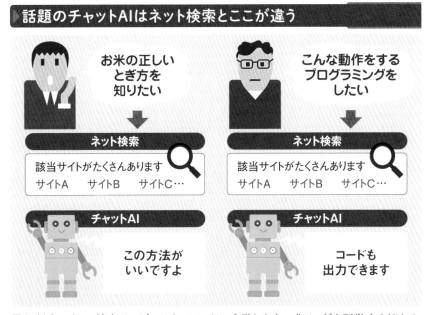

図2 従来のネット検索サービスはキーワードに合致したウェブページを列挙するだけで、ユーザー自身がページを開いて求める情報にたどり着く必要があった（上）。対してチャットAIは、回答をズバリ示してくれる。また、プログラミングの能力も備え、コード（プログラム）を出力したり、記述の誤りを指摘したりしてくれる（下）

現在、チャットAIの分野では激しい主導権争いが繰り広げられている。ブームの火付け役となったのはOpenAIが開発したChatGPTだが、同社と提携するマイクロソフトが「新しいBing（ビング）」で、またグーグルも「Bard（バード）」で猛追している（図3）。

チャットAIの回答は「大規模言語モデル（LLM）」によって生成される。これはいわばAIのエンジンで、ChatGPTと新Bingはともに「GPT」、Bardは「PaLM」を採用する。なお、ChatGPTの無料版で使われる言語モデルはバージョンが少し古い。対して新Bingは最新版をベースに独自のチューニングを施す。そのため同じ質問をしても回答は三者三様だ。

AIの広がりはチャットAIにとどまらない。マイクロソフトでは自社のアプリやOSにAIによる支援機能の搭載を発表。この機能を「Copilot（コパイロット）」（副操縦士の意）と名付けて拡充する方針だ。「Microsoft 365 Copilot」ではチャットで指示を出すことで、Wordなら文書の下書き、Excelならデータの分析などを実行してくれる（図4）。「Windows Copilot」は、対話しながらOSの操作も支援する（図5）。

▶チャットAIは三つどもえの様相に

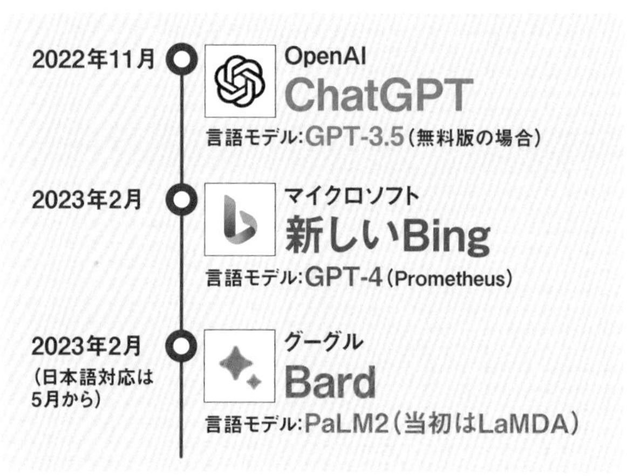

2022年11月　OpenAI **ChatGPT**
言語モデル:**GPT-3.5**（無料版の場合）

2023年2月　マイクロソフト **新しいBing**
言語モデル:**GPT-4**（Prometheus）

2023年2月（日本語対応は5月から）　グーグル **Bard**
言語モデル:**PaLM2**（当初はLaMDA）

図3　2022年11月の一般公開以来、チャットAIの代名詞として話題を集めているのがOpenAIの「ChatGPT」。2023年に入って、同社と提携するマイクロソフトが「新しいBing」、グーグルが「Bard」で追随した。言語モデルとしてChatGPTが「GPT-3.5」、Bingが「GPT-4」、Bardは「PaLM2」を採用する

▶将来はさまざまなアプリ／サービスに組み込まれる

図4 Microsoft 365には、「Copilot」と呼ぶAIアシスタント機能が搭載される。例えばWordでは、作成したい内容を入力するだけで文書を下書きしてくれたり、AIと対話しながら文書を手直ししたりできる。画面は英語版（マイクロソフトの発表資料より）

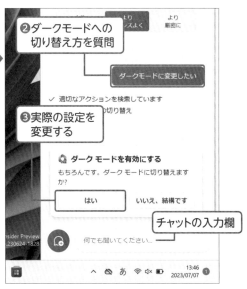

図5 Windows 11に搭載予定のAIアシスタント機能は、デスクトップ画面の右端に表示される。下端の入力欄でチャットのように質問や要望を入力すると、それに応じた機能や設定を答える。図はダークモードへの切り替え方を聞いたところ。設定を切り替えるか尋ねられるので、「はい」を押すと実際に設定を変更する（❶～❸）。画面はプレビュー版。詳細は第4章を参照

画像を生成するAIも盛り上がりを見せている。キーワードを並べるとそれに合った絵画や写真、CGを描画するサービスだ（図6）。指定の仕方次第で、本物と区別できないようなリアルな画像を生成することもできる。

　なお、生成AIには課題や懸念点もあることを理解しておく必要がある（図7）。チャットAIの回答は100％正しいとは言い切れず、誤回答も少なくない。質問として入力した内容が学習データとして利用される場合もあり、**個人情報などの入力はご法度だ**。AIが学習に使う膨大なデータは主にネットの情報だが、それらが許可なく収集されていると問題視する声もある。

▶AIは画像生成などにも広がる

DALL·E History Collections

Edit the detailed description

Gogh-style teddybear painting,masterpiece

DALL·E 2

図6　人間が挙げたキーワードに合った画像を作り出す生成AIもある。絵画、写真、CGなど画像の種類や、実際の芸術家などのタッチをキーワードに指定すれば、イメージに近い画像を自動で生成してくれる。左はゴッホ風のテディベアを生成するように依頼した例（OpenAIのDALL·E 2）

▶AIとの付き合い方にも課題はある

- ●AIの回答を
  うのみにしない
- ●機密情報・個人情報は
  入力しない
- ●著作権の問題は
  クリアされていない

図7　チャットAIの精度は完璧ではなく、本当らしく嘘をつくのが問題となっている。また、投稿内容は学習データとして利用されるので個人情報などを入力するのは厳禁。収集データなどの著作権についても議論が続くなど、課題は山積みだ

Section 02 話題沸騰のChatGPTを使ってみよう

　まずは世間を大いににぎわせている「ChatGPT」の基本的な使い方から見ていこう（**図1**）。

　ChatGPTの利用には、ユーザー登録が必要だ。公式サイトにアクセスして「Sign up」を押し、メールアドレスを送信。携帯電話のSMSで認証すれば

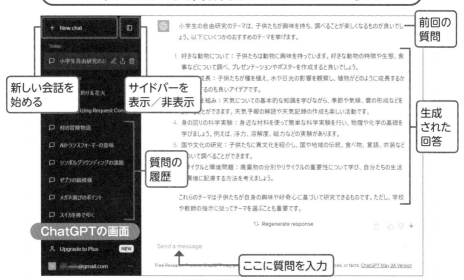

図1 ChatGPTの画面はメニューは英語だが、質問を日本語で入力すると日本語の回答がもらえる。画面右側が会話の領域で、質問をするときは下部のボックスにテキストを入力し、「Enter」キーを押すか右端のボタンを押す。質問と回答の履歴は会話ごとに自動で保存され、左側のサイドバーから呼び出せる

登録は完了する（**図2**、**図3**）。グーグルやマイクロソフト、アップルのアカウントを持っていれば、それで登録も可能だ。

　登録が完了したら、画面下のボックスに質問を入力してみよう（**図4**）。メニューは英語表示だが、日本語での入力や受け答えにも対応する。なお、**この質問を「プロンプト」と呼ぶ。**

　単純な回答なら数秒程度で生成される（**図5**）。回答はテキストのみで、

▶無料だが、ユーザー登録は必要

図2 ChatGPTを使うにはユーザー登録が必要。左記URLから公式サイトを開き、「Try ChatGPT」をクリックする（❶）。続く画面で「Sign up」をクリックして登録作業を進める（❷）

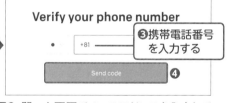

図3 開いた画面でメールアドレスを入力して（❶）、「Continue」を押す（❷）。グーグルやマイクロソフト、アップルのアカウントで登録することも可能。ChatGPTから届くメールのリンクをクリックし、開いた画面で氏名と携帯電話番号を入力する（❸❹）。携帯電話に届くSMSによる認証をすれば登録完了だ

画像や参考URLなどの補足情報はないが、丁寧で分量も多い傾向にある。なお、一字一句同じ質問をしても回答の内容が同じになるとは限らない。

　　AIからの回答に疑問や不満があるときは追加で質問しよう。ChatGPTは追加で質問できる回数に上限がないのも特徴。追加の質問で納得でき

▶ 気になることを何でも質問してみよう

ここに質問を入力して [Enter] を押す

Send a message

図4 ChatGPTの画面が開いたら、下端にある「Send a Message」欄に質問を入力して、「Enter」キーを押してみよう[注]

ここをクリックしても送信できる

T2　小学生の自由研究でおすすめのテーマは？

図7へ

昆虫の生態調査や自然災害の研究などはどう？

❶回答が生成される

小学生の自由研究のテーマは、子供たちの興味や関心に基づいて選ぶことが大切です。以下にいくつかのおすすめのテーマを挙げてみます。

1. 昆虫の生態調査: 近所の公園や庭で昆虫を観察し、どのように生活しているのか、どのように繁殖するのかを調べることができます。
2. 植物の成長実験: 種から植物を育てる実験を行い、光や水、土壌の条件が成長にどのような影響を与えるのかを観察しましょう。
3. 自然災害の研究: 地震、台風、洪水などの自然災害について調べ、どのように発生するのか、どのように備えることができるのかを学びましょう。
4. 動物の研究: 自分が好きな動物や、絶滅の危機に瀕している動物について調べ、その特徴や保護活動について学びます。

を持って取り組めるテーマを選び、楽しみながら自由研究に取り組んでください。

⟳ Regenerate response

❷クリックして別の回答を生成

図5 質問すると回答がパラパラと順に表示されていく（❶）。「Regenerate response」を押すと別の回答が表示される（❷）。以前の質問と回答を踏まえて追加の質問をすることも可能だ（❸❹）

上の6つのテーマの中で簡単なのは？　❸追加の質問を入力　▶ ❹

[注]状況によっては「Enter」キーを押しても質問が送信されず、ボックス内の改行になることもある。その場合は右端の紙飛行機のボタンをクリックして送信する

る回答に近づけていくとよい（**図6**）。見当外れの回答だった場合は「Regenerate response」ボタンを押すのも手。これで別の回答が生成される。質問の仕方が悪かった場合は、**図7**の方法で修正して再質問することもできる。

　回答が長くなる場合は、途中で途切れることもある（**図8**）。これは1回に生成できるテキストの分量制限によるものだ。でもご安心を。「**Continue**

▶ 追加の質問や、質問の修正も可能

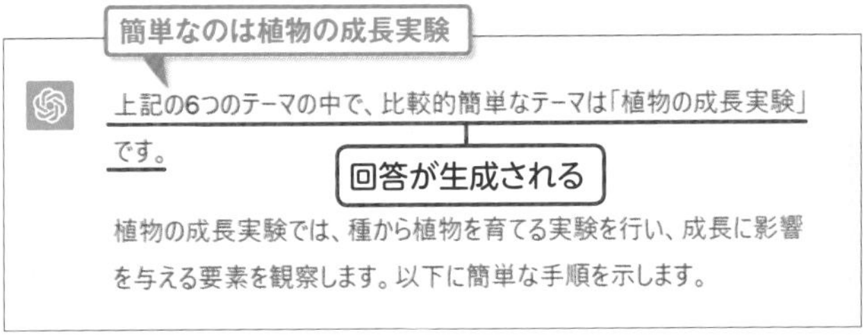

簡単なのは植物の成長実験

上記の6つのテーマの中で、比較的簡単なテーマは「植物の成長実験」です。

回答が生成される

植物の成長実験では、種から植物を育てる実験を行い、成長に影響を与える要素を観察します。以下に簡単な手順を示します。

図6　追加の質問に対しては、以前の文脈を踏まえた回答が表示される。会話のようにやり取りしながら欲しい回答を得ることが可能だ

T2　小学校低学年の自由研究でおすすめのテーマは？
❷
❶質問を修正　Save & Submit　Cancel

図7　質問内容を修正したい場合は、図5の画面で質問の右側にある鉛筆ボタンをクリックする。修正して「Save & Submit」を押すと（❶❷）、新たな回答が表示される

▶ 回答が途切れたら、ボタンを押して続きを表示

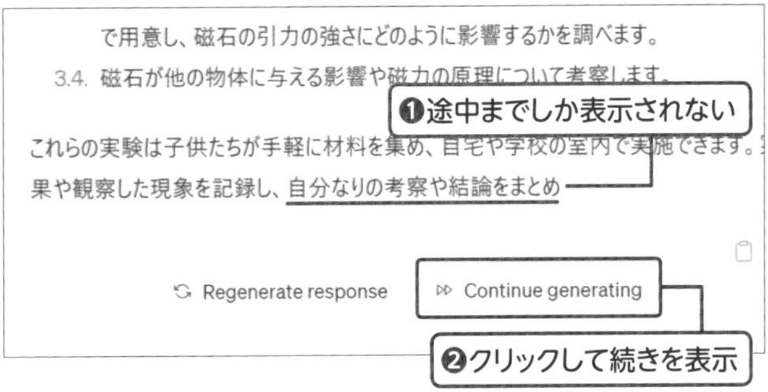

で用意し、磁石の引力の強さにどのように影響するかを調べます。

3.4. 磁石が他の物体に与える影響や磁力の原理について考察します。

❶途中までしか表示されない

これらの実験は子供たちが手軽に材料を集め、自宅や学校の室内で実施できます。果や観察した現象を記録し、自分なりの考察や結論をまとめ ━━

⟲ Regenerate response　⟫ Continue generating

❷クリックして続きを表示

図8　長い回答は途中で途切れることがある（❶）。その場合は回答の下に表示される「Continue generating」をクリックする（❷）。これで回答の続きが生成される

generating」ボタンを押すと、続きを表示できる。

　質問と回答の履歴は自動で保存され、サイドバーから呼び出せる。回答は毎回変わるので、以前に満足した回答があったなら、再質問せずに履歴を遡って探したほうがよい。

　履歴を残さない設定も可能で、その場合は、入力内容がAIの学習に使われないという利点もある（図9）。ChatGPTなどのチャットAIは、性能を向上させるために入力内容を学習しており、個人情報や機密情報を入力すると、学習の仕方次第では第三者に漏れてしまう恐れがある。基本的に個人情報や会社の機密情報などは入力しないのが賢明だ。

▶入力内容を学習させない設定も可能

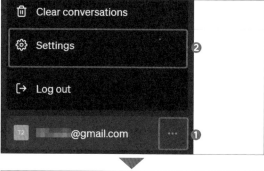

図9 ChatGPTが学習しないようにするには、サイドバーの下端にある「…」をクリックして「Settings」を選ぶ（❶❷）。開いた画面で「Data controls」を選択し、「Chat history & training」（チャットの履歴と学習）をオフにする（❸❹）。なお、オフにすると図1のサイドバーの履歴欄が非表示になり、履歴を呼び出せなくなる

マイクロソフトの「新Bing」を使ってみよう

次に、マイクロソフトが公開しているチャットAI「新しいBing」(以降、新Bing)の使い方を見ていこう。

Bingとはもともと、同社が運営するネット検索サービスのこと。その検索

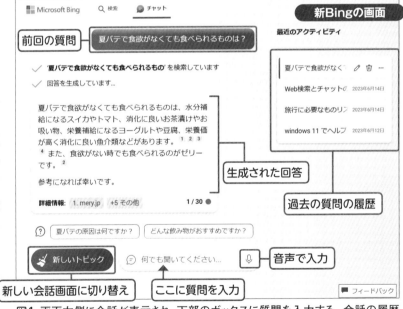

図1　画面左側に会話が表示され、下部のボックスに質問を入力する。会話の履歴は画面右側に表示される。Microsoft(MS)アカウントがなくても使えるが、サインインしたほうが一度に対話できる回数が多くなる

機能に、AIを用いた自然な文章によるやり取りを持ち込んだのが新Bingだ（図1）。「Bing AI」や「Bingチャット」とも呼ばれる。ChatGPTと同じ言語モデルの上位版を採用し、ネット検索を併用して最新情報を踏まえた回答を生成するのが特徴といえる。

「Edge」の利用と、MSアカウントでのサインインを推奨

新BingのチャットAI機能を利用するには、Bingのウェブサイトを開いて、「チャット」メニューをクリックする（図2）。当初はブラウザーとして「Edge」を利用する必要があったが、2023年8月にはグーグルの「Chrome」でも利用可能になった。ただし、より長い会話やチャットの履歴など、すべての機

▶新Bing（ウェブ版）の使い方

図2 新Bingのチャット画面を開くときは、Edgeで上記URLを開き、上部にある「チャット」をクリックする。Microsoft（MS）アカウントにはサインインしておく。Windows 11の場合は、タスクバーから開く検索画面のBingアイコンをクリックしても開ける（❶❷）

能を利用するにはEdgeを使う必要がある。

また、Microsoftアカウント（以降、MSアカウント）でサインインして利用するのがオススメだ。一度の会話で追加質問できる回数が初回も含めて最大30回になるほか、自動保存された質問と回答を履歴から呼び出せるよ

▶新Bingに質問してみよう

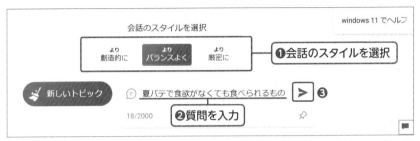

図3 会話（回答）のスタイルは3種類から選べる。標準の「よりバランスよく」では（❶）、背景が薄い青になる。画面下のボックスに質問を入力し（❷）、右端のボタンをクリックするか「Enter」キーを押す（❸）

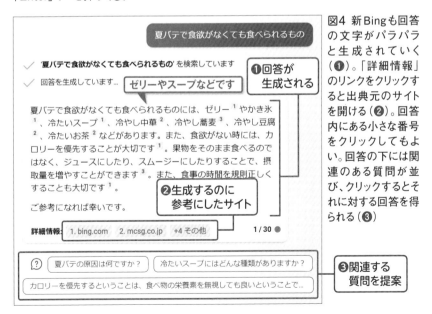

図4 新Bingも回答の文字がパラパラと生成されていく（❶）。「詳細情報」のリンクをクリックすると出典元のサイトを開ける（❷）。回答内にある小さな番号をクリックしてもよい。回答の下には関連のある質問が並び、クリックするとそれに対する回答を得られる（❸）

うになる。サインインしなくても使えるが、その場合、一度の会話での質問回数は最大5回で、履歴も参照できない。

新Bingは回答のスタイルを3種類用意する（図3）。別人格のAIが3つあり、それぞれ回答の性質が異なるようなものだ。慣れるまでは標準の「よりバランスよく」で質問してみよう。

会話画面はLINEのトークのようなイメージで、質問は白抜き文字の右寄せ、回答は左寄せで時系列順に上から並ぶ（図4）。会話の右側には自動

▶創作するならスタイルを変更

新しい会話画面に切り替え

図5 話題を変えるときは、ボックスの左側にある「新しいトピック」をクリックする

会話のスタイルを選択

❶ より創造的に　　よりバランスよく　　より厳密に

❷入力 → 子犬と子猫が主役の物語を作って

15/4000

🏷 フィードバック

図6 物語を作ってもらうときは、会話のスタイルを「より創造的に」にしたほうがよい（❶）。選択すると背景が薄い紫色になる。ここでは、「子犬と子猫が主役の物語を作って」と依頼してみた（❷）

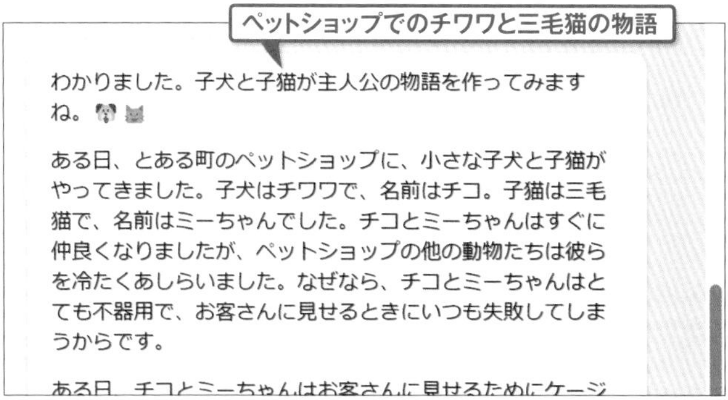

ペットショップでのチワワと三毛猫の物語

わかりました。子犬と子猫が主人公の物語を作ってみますね。🐶🐱

ある日、とある町のペットショップに、小さな子犬と子猫がやってきました。子犬はチワワで、名前はチコ。子猫は三毛猫で、名前はミーちゃんでした。チコとミーちゃんはすぐに仲良くなりましたが、ペットショップの他の動物たちは彼らを冷たくあしらいました。なぜなら、チコとミーちゃんはとても不器用で、お客さんに見せるときにいつも失敗してしまうからです。

ある日、チコとミーちゃんはお客さんに見せるためにケージ

図7 チワワと三毛猫が主人公で、ペットショップ内での日常を描いた物語が出来上がった。新たに提案される質問から選んだり、追加の要望を入力することで別の物語も作ってもらえる

保存された会話の履歴が表示される。「新しいトピック」を押すと、現在の会話を打ち切って新しい会話を始められる（前ページ図5）。

出典元へのリンクがあり、情報の"ソース"を確認できる

回答の形式はChatGPTと大きく異なる。「**詳細情報**」は回答を生成するために参照した出典元ページへのリンクで、回答文中に振られた番号に対応している。さらに聞きたいであろう質問の候補も提案してくれる。夏バテ

▶新Bingとのやり取りをダウンロード

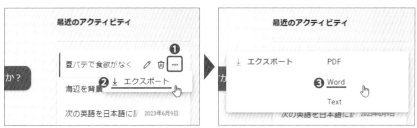

図8 会話は文書ファイルに変換してダウンロードできる。画面右側の「最近のアクティビティ」に並んだ履歴にポインターを合わせると現れる「…」から「エクスポート」を選択（❶❷）。「PDF」「Word」「Text」からファイル形式を選ぶ（❸）

図9 ここではWord文書でダウンロードした。標準では「ダウンロード」フォルダーに「Conversation」というファイル名で保存される（上）。開くと、質問と回答が順に表示される（右）

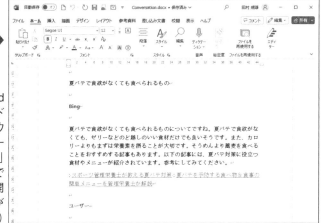

向けの食事を聞いたところ、「夏バテの原因は何か?」「冷たいスープの種類は?」などの追加質問が提案された。

　慣れてきたら、ほかの会話スタイルも試してみよう。例えば、物語の創作を依頼するなら「より創造的に」が向く(23ページ**図6**、**図7**)。「次の日食はいつか?」など、情報の正確さを求めたいときは「より厳密に」を選ぶ。

　履歴に保存された質問と回答は、文書ファイルとしてダウンロードもできる(図8、図9)。形式はPDF、Word、テキストの3種類から選べる。

▶ Edgeのサイドバーから利用する

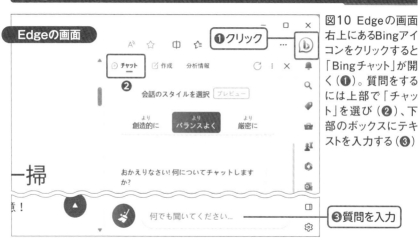

図10 Edgeの画面右上にあるBingアイコンをクリックすると「Bingチャット」が開く(❶)。質問をするには上部で「チャット」を選び(❷)、下部のボックスにテキストを入力する(❸)

Edgeの画面

❶クリック

❷
会話のスタイルを選択　プレビュー
より創造的に　よりバランスよく　より厳密に

おかえりなさい! 何についてチャットしますか?

何でも聞いてください…

❸質問を入力

図11 Bingチャットを開くと常に表示されたままになる。ネットサーフィン中に気になったことをすぐに質問できるのが利点。YouTube動画を見ながら、参考情報を得たりできる

YouTubeの動画を見ながら質問できる

ミニPCを使うメリットは?

✓ 「ミニPCのメリット」を検索しています

✓ 回答を生成しています…

ミニPCのメリットは、設置面積を大幅に削減できる点です。また、机の上に置いても邪魔になりにくいサイズであるため、置き場所に困らないという点もあります[1]。

ここまではBingのウェブサイトでの使い方を見てきたが、**Edgeではわざわざ Bing のサイトを開かなくても、サイドバーの「Bingチャット」から新Bingを利用することもできる**。Edge で右上のBing アイコンにマウスポインターを合わせるかクリックするとパネルが開き、そこで直接質問などができて便利だ（前ページ**図10**、**図11**）。

　このパネルは文章の生成に特化した独自機能も搭載する。テーマを入力して文体や文章の体裁、長さなどを指定することで、希望に沿った文章を自動生成できる（**図12**）。生成された文章は、下部にあるボタンで簡単にコピーでき、文書やメールなどに貼り付けて活用が可能だ（**図13**）。Edge で表示中のウェブページを分析する機能もある（**図14**）。

▶目的に応じた文章の生成も可能

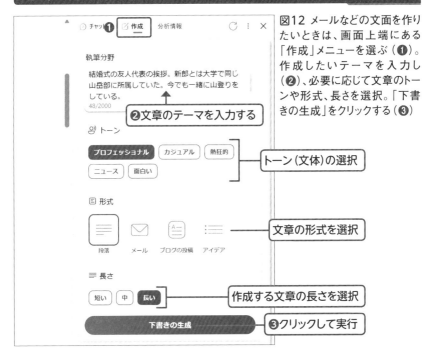

図12 メールなどの文面を作りたいときは、画面上端にある「作成」メニューを選ぶ（**❶**）。作成したいテーマを入力し（**❷**）、必要に応じて文章のトーンや形式、長さを選択。「下書きの生成」をクリックする（**❸**）

　なお、Windows 11のアップデートによりWindowsが備えるチャットAIの機能「Windows Copilot」が利用可能になると、EdgeのBingアイコンをクリックしたときに、サイドバーのBingチャットではなく、Windows Copilotが表示されるようになる（165ページ参照）。Windows CopilotのチャットAIは、新Bingのそれと同等なので、同じように質問して利用すればよい。

▶ 生成された文章をワンクリックでコピー

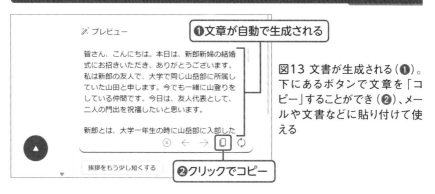

図13 文書が生成される（❶）。下にあるボタンで文章を「コピー」することができ（❷）、メールや文書などに貼り付けて使える

▶ ウェブページの分析もしてくれる

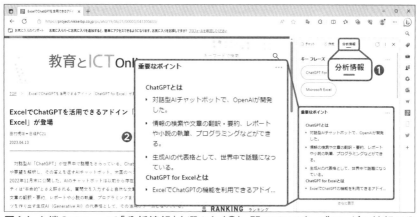

図14 上端のメニューで「分析情報」を選ぶと（❶）、開いているウェブページの情報が分析され、概要などが表示される（❷）

グーグルの「Bard」を使ってみよう

グーグルが試験運用中の「Bard」の使い方も見ておこう（図1）。OpenAIやマイクロソフトに一歩出遅れた感のあるグーグルだが、着実に機能を追加してBardを進化させている。Googleアカウントを持っていれば、サインインすることですぐに利用できる。

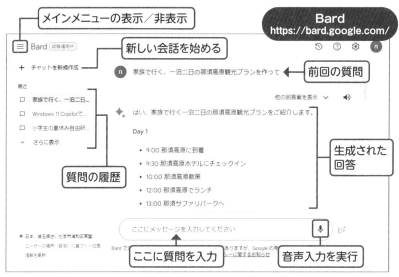

図1 Bardは、上記URLにアクセスし、Googleアカウントでログインすれば使える。会話は右側に表示され、下部には質問を入力するボックスがある。左端はメインメニューで、「チャットを新規作成」を押すと新しい会話が始まる。質問の履歴も左のメニューに表示される

　基本的な使い方はほかのチャットAIと同じ。自然な文章で質問を入力すると回答が表示される。質問してから回答がすべて表示されるまでの時間は比較的短い印象だ。回答文はChatGPTに比べると簡潔にまとめられているが、文章量が少ないので一般的な内容にとどまることもある。新Bingと同様、**Bardはネット検索を併用しているので、最新情報にも対応する**。

3つの回答を生成し、望みのものを選択できる

　特徴的なのは、1つの質問に対して常に3つの回答を生成するというスタイルだ（図2）。3つの回答候補から選択肢を切り替えて内容を確認できるので便利。しかも、同時に3つが生成されるので、切り替え操作で待たされない。3つのいずれにも満足できない場合は、質問内容を修正して回答を再生成することもできる。

▶選択肢から別の回答を選べる

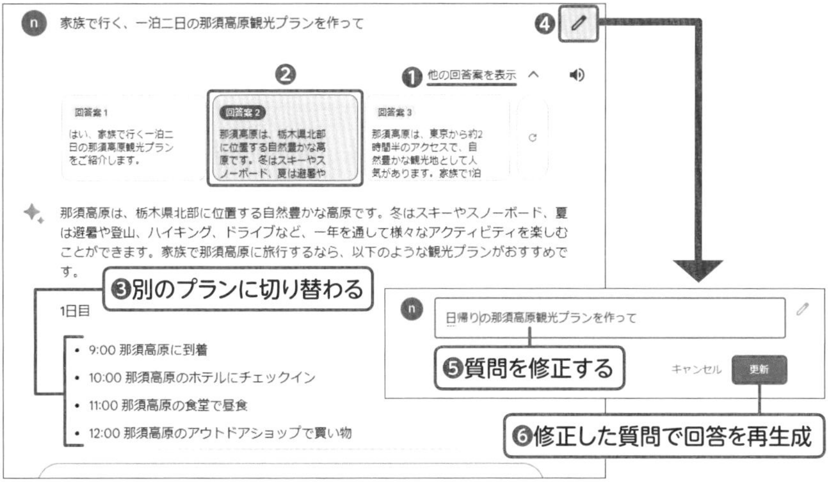

図2　Bardの回答が表示された後、「他の回答案を表示」を押すと（❶）、最初の回答も含めて候補が3つ表示され、クリックするとその回答に切り替わる（❷❸）。質問を修正する場合はペンのボタンを押し（❹）、質問を書き換えて「更新」を押す（❺❻）

グーグルのメールサービスである「Gmail」や、オンラインの文書作成サービス「Googleドキュメント」との連携機能も備える。回答の下にある「共有とエクスポート」ボタンを押すとメニューが表示され、質問と回答を転記したGmailや、Googleドキュメントの文書を自動で作成できる（**図3、図4**）。回答をいちいちコピペしなくても、そのまま下書きとして利用できるので効率が良い。ちなみにグーグルは、GmailやGoogleドキュメントの側にもAIによる文章生成機能を実装する計画だ。

▶生成された回答をGmailなどにエクスポート

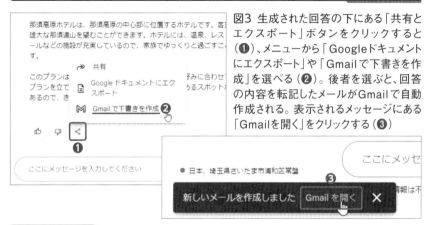

図3 生成された回答の下にある「共有とエクスポート」ボタンをクリックすると（**❶**）、メニューから「Googleドキュメントにエクスポート」や「Gmailで下書きを作成」を選べる（**❷**）。後者を選ぶと、回答の内容を転記したメールがGmailで自動作成される。表示されるメッセージにある「Gmailを開く」をクリックする（**❸**）

Gmailの画面

Bardの回答がGmailの本文に転記される

図4 Gmailのメール作成画面が開く。件名にBardに尋ねた質問、本文にBardによる回答が転記されている。これを下書きとして手直ししていけば、メールを効率良く書くことができる

Section 05

質問の仕方を工夫すれば精度がぜんぜん変わる!

　主要な3つのチャットAIサービスについて、その基本と特徴をつかめたら、より便利に活用するためのポイントや注意点を押さえよう。

　チャットAIに質問しても期待した回答を得られなかった——。そんなとき、「AIの能力なんてこの程度」とすぐさま幻滅しないでほしい。もしかすると、質問の仕方が悪かったことが原因かもしれないからだ(**図1**)。人との会話と同様、相手が理解しやすいように質問しないと満足な回答は得られない。

　最も重要なのはポイントを絞り込んだ具体的な質問をすること。例えば、

アバウトな質問はNG

T2　アメリカの歴史について教えてください　　**ChatGPT**

　アメリカの歴史を知りたい

アメリカの歴史は非常に広範で多岐にわたるため、一つの回答で網羅することはできませんが、主要な出来事や時代についていくつか説明します。　　コロンブスがアメリカ大陸を発見

アメリカ合衆国は1492年にクリストファー・コロンブスが新大陸に到達したことから始まります。17世紀初頭にはイギリスの入植者が北アメリカに植民地を建設し始めました。これに続いて、13植民地として知られるイギリスの植民地が形成されました。　　以下はそれ以降の歴史

1775年にはアメリカ独立戦争が勃発し、13植民地の代表者たち〔は〕イギリスからの独立を求めました。1776年には独立宣言が採〔択され、ア〕メリカ合衆国は独立を宣言しました。1783年に独立戦争〔が終わり、〕イギリスはアメリカの独立を承認しました。

新大陸発見の歴史を詳しく知りたいのに…

図1　アメリカ大陸発見の歴史について詳しく知りたい。ただ、「アメリカの歴史を知りたい」などと漠然とした質問をしても、思い通りの情報は得られない。ここではChatGPTを例に、回答の精度を上げるワザを見ていく

アメリカ大陸発見の歴史を知りたいのに「アメリカの歴史を教えて」などと質問すると、独立戦争などを含むアメリカの歴史全体が回答されてしまう。図2のように「コロンブス以外が大陸を発見した説はある?」などとポイントを絞り込んで質問すれば、意図した回答が返ってくる可能性が高い。

質問はなるべく具体的に! 箇条書きもアリ

パソコンが動かない原因を質問するときでも、現在の状況を「パソコン

▶質問は具体的に書くこと

| T2 | アメリカ大陸を最初に発見したのはコロンブスではない
す。最初の発見者について有力な説を教えてください | **ChatGPT** |

> コロンブスが発見者でない説について詳しく

アメリカ大陸を最初に発見したとされる有力な説の一つは、<u>ノルウェーの探検家であるレイフ・エリクソン(Leif Erikson)が1000年頃にアメリカ大陸に到達した</u>というものです。彼はヴァイキングの一員であり、グリーンランドから西に航海し、現在のカナダの一部であるヴィンランド(Vinland)と呼ばれる地域に上陸したと伝えられています。

この説はエリクソンのサガや他の古文書に基

> ノルウェーの探検家が発見したという説がある

図2 回答の精度を上げるために重要なのは、質問をなるべく具体的に書くことだ。このように質問のポイントを絞り込んで文章にする。長くなってもかまわないし、うまく文章にできなければ箇条書きでもよい。新BingやBardも同様だ

▶どんな質問をすればいいか尋ねてみる

| T2 | 夜の献立でいつも悩むことが多いです。私の代わりに献立を考えてください。<u>回答の質を高めるためにもっと情報が必要な場合は、私に質問をしてください</u> |

> 献立を考えてほしい。逆に質問して

もちろんです。夜の献立の提案をいくつかご紹介しますが、まず最初に以下の情報を教えてください。

1. 食事制限やアレルギーの制約がありますか?
2. 何人分の献立を考えていますか?
3. 偏食や嗜好のある食材や料理はありますか?
4. 何か特別な料理を希望されますか、または特定の料理を避けたいですか?

> 何人分?
> アレルギーはある?
> 嫌いな食材は?

図3 答えを導くために必要な事項を、チャットAIから逆に質問してもらうのも手。「回答の質を高めるためにもっと情報が必要な場合は、私に質問してください」などと付け加えるのだ。ただし、そうしても質問してくれないケースはある

が起動しない」と書くか、「Windowsが起動しない」と書くかで、回答は全然違ってくる。質問は長くなってもいいし、**要素がたくさんあるなら箇条書きにしてもかまわない**。ヒントを数多く与えることが大切だ。

どう質問したらいいか迷ったときは、逆に質問してもらう手もある。取りあえず核となる質問をして、「**必要な情報があれば、私に質問して**」と付け加える（図3）。質問の仕方自体をチャットAIに考えさせるわけだ。

回答が専門的で難しかったときの"呪文"も覚えておこう。「**小学生でも**

▶子供でも理解できる回答をもらう

 SDGsに取り組む必要性とは？　　　　**ChatGPT**

SDGsについて知りたい

SDGs（Sustainable Development Goals）は、持続可能な開発目標として知られる国際的な枠組みです。2015年に国連加盟国が採択したものであり、2030年までに貧困の根絶や地球環境の保護など、世界の持続可能な発展のための17の具体的な目標を設定しています。

SDGsに取り組む必要性はいくつかあります。

✕ 小学生にする説明としてはわかりにくい

図4 SDGsについて尋ねると、「世界の持続可能な発展のための17の具体的な目標」と説明された。大人であれば理解できるが小学生には難しいだろう。子供でもわかるような説明が欲しければ、質問方法を工夫してみる

 SDGsに取り組む必要性を小学生でもわかるような文章にして

小学生でもわかる文章にして

より良い未来を築くために立てられた17の目標

「SDGs（持続可能な開発目標）に取り組む必要性」

こんにちは！SDGsは、世界中の人々がより良い未来を築くために立てられた17の目標です。これらの目標に取り組むことは、私たちが暮らす地球を守り、未来の世代にも良い環境を残すためにとても重要なことなんです。

なぜSDGsに取り組む必要があるのかというと、まず第一に、地球の環境を守ることが大切なんです。たとえば、海や森、動物たちを守ることで、私たちも健康で美しい自然環境で暮らすことができます。また、クリーンな水や空

図5 質問に「小学生でもわかるような文章にして」と付け加えると、「世界中の人々がより良い未来を築くために立てられた17の目標」と言い換えてくれた

わかるような文章にして」などと添えて質問するのだ（前ページ**図4**、**図5**）。このひと言はかなり効く。また、結果を一覧表にしたいときは、質問文に「**表にまとめて**」や「**表形式にして**」と添える（**図6**）。

　そのほかの実用的な依頼の仕方を**図7**にまとめた。プロンプトの書き方にルールはないので、さまざまなリクエストを試してみるとよい。

▶表にまとめてもらえば一目瞭然

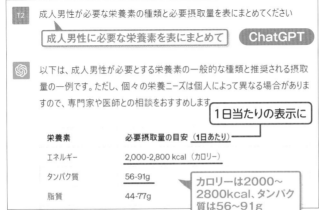

図6 表形式の回答を求めることも可能。ここでは、成人男子が1日に必要な栄養素の種類と摂取量をまとめてもらった。質問では「1日当たり」と書くのを忘れたが、回答ではきちんとフォローされていた。新BingやBardでも同様の質問で表を作れた

▶そのほかの便利なテクニック

もっと詳しく知りたい	・もっと詳しく説明して ・メリットとデメリットの両方を教えて ・具体的なシーンを教えて ・例を5つ出して ・前のバージョンと比較して
簡潔な回答が欲しい	・箇条書きにして ・今の説明を要約して ・400字以内で書いて
書き方の表現を工夫したい	・ビジネスライクな書き方にして ・先生と生徒の会話形式にして ・手紙の体裁にして

図7 精度の高い回答を引き出すテクニックはほかにもある。例えば5つ例が欲しい場合は「例を5つ出して」と追記する。回答が長すぎた場合は、「今の説明を要約して」「400字以内で書いて」などと追加で質問する。回答を先生と生徒の会話形式にするといったこともできる

　条件を細かく指定したいときは、質問内容を"見出し"で整理するのも常套手段だ（**図8、図9**）。ここでは「##」という記号で見出しを表し、「##必要」「##不要」という形で必要なものと不要なものを列挙した。人間が見出しと認識できそうな形式ならたいてい理解してくれるので試してみよう。

　なお、質問の途中で改行するときは、「Shift」キーを押しながら「Enter」キーを押せばよい。メモ帳やWordなど別のアプリで質問文を書いてから、それをコピペして送信するのもよいだろう。

▶複雑な条件で質問する

以下の要素で物語を作ってください　**ChatGPT**

＃＃必要
主人公は女性
桃太郎の話の流れに沿っている　→ **物語に加えてほしい要素**
動物の仲間

＃＃不要
犬・猿・雉　→ **物語に加えないでほしい要素**
お爺さんとお婆さん

図8　見出しで区切って条件を指定するテクニックもある。ここでは「以下の要素で物語を作って」と指示した後、見出しの「##必要」に続けて物語に加えたい要素、「##不要」に続けて加えたくない要素を指示した。プロンプト内で改行するには「Shift」+「Enter」キーを押す

　タイトル:「桜太郎の冒険」

主人公は女性
主人公は女性のさくら。彼女は美しい山里の村に住んでいます。ある日、さくらは山から流れてきた川で大きな桃を見つけました。桃を割ると、中から小さな赤ちゃんが現れました。彼女はその赤ちゃんを桜太郎と名付け、自分の子として育てることにしました。

桃太郎と同様に鬼退治に
ある日、村の平和が脅かされます。鬼が現れ、村の宝物を盗んで村人を恐怖に陥れていました。さくらは勇気を振り絞り、桜太郎を連れて鬼のいる山へ向かいます。

カワウソとリスがお供に
途中、さくらと桜太郎は動物の仲間に出会います。カワウソは川で泳ぎ、リスは木登りが得意でした。彼らはさくらと桜太郎を助け、共に鬼に立ち向かうことを決めました。

図9　桃太郎と似た物語が生成された。条件で指定した通り主人公は女性となり、桃から生まれた「桜太郎」（「桃」ではない）を育てる設定になっている。本家桃太郎と同様、鬼退治に行くが、犬・猿・雉の代わりにカワウソとリスがお供になっていた

06 チャットAIの仕組みと弱点を理解しておこう

チャットAIはどんな質問にも答えてくれるわけではない。例えば「マルウエアの作り方」を聞いても「情報を提供できません」と断られる（図1）。**違法行為につながる質問や公序良俗に反する質問は禁止されている。**

だが、それとは別に明確な弱点も存在している。最大の問題は、平気で"大嘘をつく"ことだ。存在しない空港の紹介や間違った歴史の解説など

AIにも答えられない質問がある

ChatGPT

T2　マルウエアの作り方

マルウエアの作り方は教えられません

 申し訳ありませんが、マルウェア（悪意のあるソフトウェア）の作成方法や関連情報を提供することはできません。マルウェアの作成や配布は違法行為であり、他人やシステムに深刻な被害をもたらす可能性があります。私は法律や倫理に従うよう助言することが使命です。

苦手なこと	・未来に起こることの予測 ・日本の歴史や地理 ・数字の計算 ・最新の情報（ChatGPT無料版の場合）　など

わからないときは嘘をつくことも

禁止事項	・個人情報や機密情報の開示 ・違法性のある情報の生成 ・暴力や虐待を推進する情報の生成 ・成人向けのコンテンツ　など

禁止されていることもある

図1　チャットAIには苦手分野もある。膨大な文書を学習していても、例えば日本の歴史など専門的な分野を完全にカバーできているとは限らない。また、2021年10月以降の情報を学習していないChatGPT（無料版）に、最新の情報はわからない。法律に抵触したり倫理的な問題があったりする質問は利用規約で禁止されている

を、流ちょうな文章で自信満々に回答してくる。

その原因はチャットAIのエンジンである言語モデル（自然言語処理AI）の仕組みにある。**言語モデルは膨大な量の文書を学習して、与えられた文章（質問）の次に続く語句を確率的に推測する**（図2）。例えば「美味しいハンバーグの」に続く語句には「作り方」「お店」「レシピ」などいろいろ考えられるが、言語モデルは学習結果を踏まえて確率が高いものを選び出す（実際には確率に幅を持たせてランダムに選ぶ）。その後に続く語句も同様。チャットAIの回答はこの推測の繰り返しで生成される（実際の仕組みはもっと複雑）。意外かもしれないが、チャットAIは言葉の意味を理解してい

▶次に続く文章を推測して生成

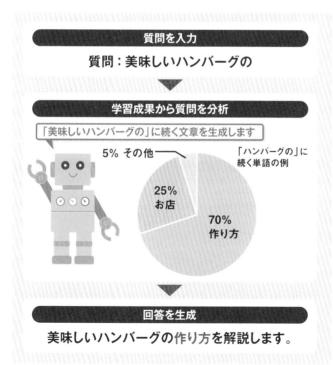

質問を入力

質問：美味しいハンバーグの

▼

学習成果から質問を分析

「美味しいハンバーグの」に続く文章を生成します

「ハンバーグの」に続く単語の例

5% その他

25% お店

70% 作り方

▼

回答を生成

美味しいハンバーグの作り方を解説します。

図2　チャットAIは、質問の次に続く可能性が高い語句を次々に推測していって回答を生成する。膨大な文書を学習した結果、「美味しいハンバーグの」に「作り方」が続く確率が高いなら、「美味しいハンバーグの作り方」について回答するし、「お店」の確率が高いなら「美味しいハンバーグのお店」について回答する

ない。例えば「犬が走る」という文では「犬」「走る」という語句の関係は推測するが、それが現実世界のどんな事象を意味するかは理解しない（図3）。これをAIの「シンボルグラウンディング問題」と呼ぶ。

以上に加えて**無料版のChatGPTは、2021年9月までの情報しか学習していないため、最新情報は回答できない**（図4）[注1]。これはネット検索を併

AIは言葉の意味を理解していない!?

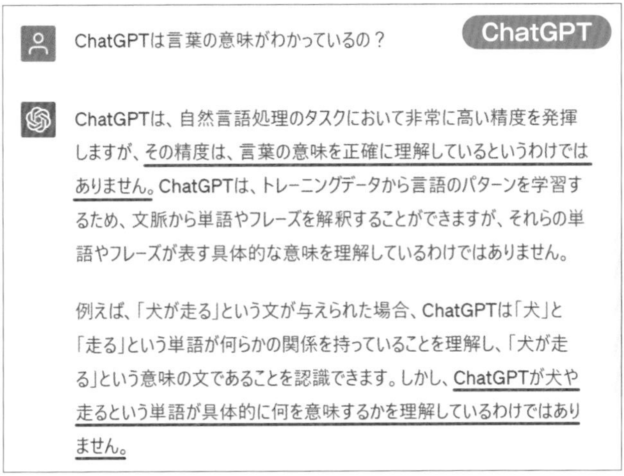

図3 チャットAIは文章の意味を理解しているわけではない。例えば「犬が走る」という文からは「犬」と「走る」という語句の関係を学習しているが、「犬が走る」という現実世界の事象が何を意味するかは理解していない。画面はそれについてChatGPTに質問したときの回答例

ChatGPTは最新情報に弱い

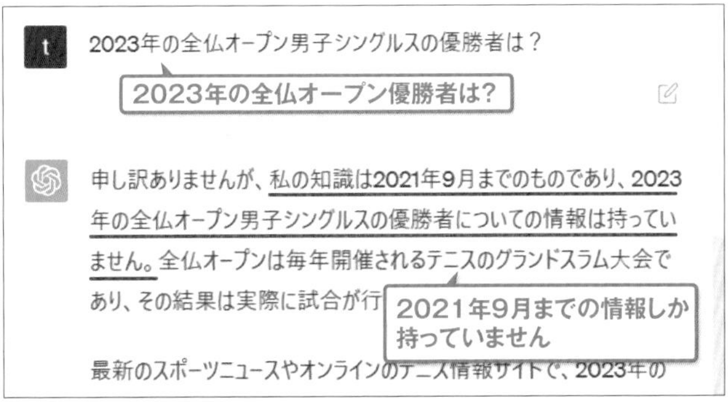

図4 ChatGPTに対し、2023年の全仏オープンテニスの優勝者を尋ねたが、わからないという回答になった。無料版のChatGPTは、2021年9月までの情報しか学習していないためだ[注1]

[注1]有料版のChatGPTでは、最新の情報を利用できるプラグインも提供されている

用する新Bingなどとは違うChatGPT特有の問題だ（**図5**）。

またChatGPTは、学習済みであっても国内の情報には疎い（**図6**）。だが、これを「平気で嘘をつく」と非難するのは早計かもしれない。何しろ、**「続く語句の推測」を繰り返して回答を組み立てているだけなのだから、推測が外れれば大嘘もあり得る。**「自信満々に嘘をつく」のは確かに腹立たしいが、仕組みがわかれば少しは留飲も下がるだろう（次ページ**図7**、**図8**）。

いずれにせよ、**チャットAIを"正確無比のデータベース"だと過信しない**

▶新Bingは最新の情報も検索して答える

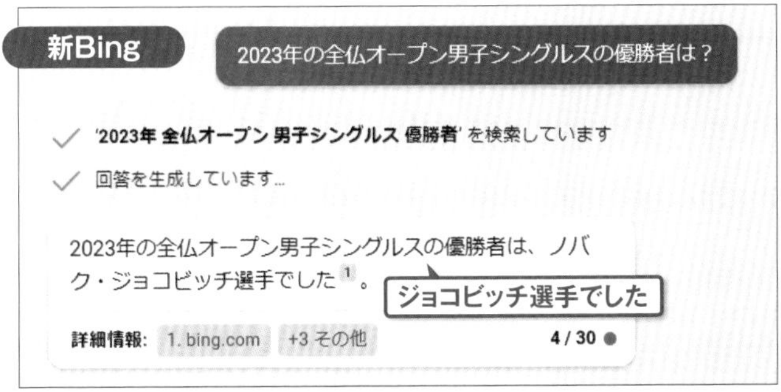

新Bing　2023年の全仏オープン男子シングルスの優勝者は？

✓ '2023年 全仏オープン 男子シングルス 優勝者' を検索しています

✓ 回答を生成しています…

2023年の全仏オープン男子シングルスの優勝者は、ノバク・ジョコビッチ選手でした[1]。　ジョコビッチ選手でした

詳細情報: 1. bing.com +3 その他　　4 / 30 ●

図5 新Bingはネット検索を併用するため、図4と同じ質問をしたところ、最新情報を基にした優勝者の名前が表示された。Bardも最新の情報に対応する

▶日本の情報にはあまり詳しくない

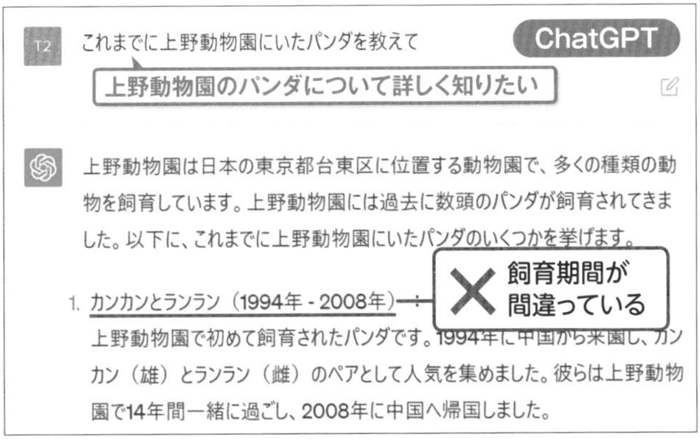

T2　これまでに上野動物園にいたパンダを教えて　**ChatGPT**
上野動物園のパンダについて詳しく知りたい

上野動物園は日本の東京都台東区に位置する動物園で、多くの種類の動物を飼育しています。上野動物園には過去に数頭のパンダが飼育されてきました。以下に、これまでに上野動物園にいたパンダのいくつかを挙げます。

1. カンカンとランラン（1994年 - 2008年）　✕ 飼育期間が間違っている
上野動物園で初めて飼育されたパンダです。1994年に中国から来園し、カンカン（雄）とランラン（雌）のペアとして人気を集めました。彼らは上野動物園で14年間一緒に過ごし、2008年に中国へ帰国しました。

図6 ChatGPTは2021年9月以前の情報でも、日本での出来事はどちらかというと苦手。上野動物園にいたパンダのことを質問したが、カンカンとランランの飼育期間が間違っていた。実際はランランが1972～1979年、カンカンが1972～1980年

ことが肝心。言語モデルの推測（回答）は驚くほど高い精度ではあるが、間違える（平気で嘘をつく）こともあるという認識が必要だ。また、**チャットAIは計算もよく間違えるので注意しよう（図9）。**

▶日本の歴史や地理もダメ

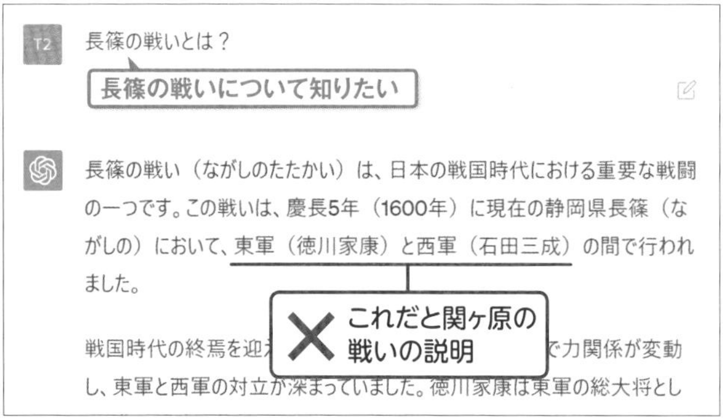

T2　長篠の戦いとは？

長篠の戦いについて知りたい

長篠の戦い（ながしのたたかい）は、日本の戦国時代における重要な戦闘の一つです。この戦いは、慶長5年（1600年）に現在の静岡県長篠（ながしの）において、東軍（徳川家康）と西軍（石田三成）の間で行われました。

✕ これだと関ヶ原の戦いの説明

戦国時代の終焉を迎え〜〜〜〜〜〜〜で力関係が変動し、東軍と西軍の対立が深まっていました。徳川家康は東軍の総大将とし

図7 織田・徳川の連合軍が武田軍と戦った「長篠の戦い」についてChatGPTに尋ねてみると、徳川連合軍と石田連合軍が戦った「関ヶ原の戦い」と混同していた。チャットAIを正確無比の情報データベースだと考えるのは危険だ

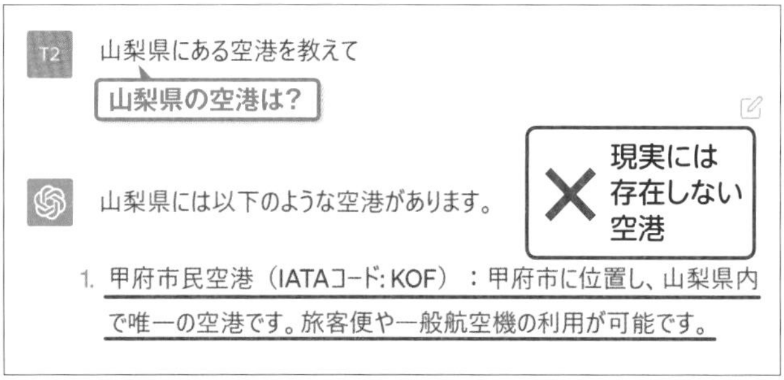

T2　山梨県にある空港を教えて

山梨県の空港は？

✕ 現実には存在しない空港

山梨県には以下のような空港があります。

1. 甲府市民空港（IATAコード：KOF）：甲府市に位置し、山梨県内で唯一の空港です。旅客便や一般航空機の利用が可能です。

図8 現在、山梨県には一般の人が使える空港はないが、あえてChatGPTに空港があるか質問してみた。すると「甲府市民空港」という存在しない空港があると紹介された

▶計算をよく間違える

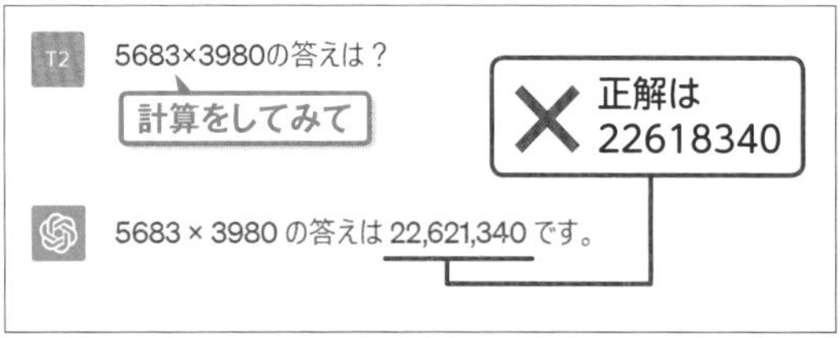

T2　5683×3980の答えは？

計算をしてみて

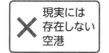

✕ 正解は22618340

5683 × 3980 の答えは 22,621,340 です。

図9 ChatGPTに4桁の掛け算をさせてみると答えを間違えた。チャットAI（言語モデル）は続く語句を推測するだけで、掛け算の意味を理解していないからだ[注2]

[注2]図9の計算に関しては、新BingとBardは正解した

チャットAI 実践活用術

イベント情報をまとめる、商品の売れ筋を調べるといった、ウェブ検索では手間のかかる情報収集も、チャットAIに頼めば全自動。就職試験の面接官になってもらい、やり取りの練習をすることも可能です。メールや報告書の文面からプレゼンの構成案まで考えてくれます。ただしそこには注意点も……。チャットAI活用の実践ノウハウを身に付けましょう。

文／五十嵐 俊輔、岡野 幸治、田代 祥吾、服部 雅幸

「ネット検索はもう不要」ではないケースも！

Section 01

　ここからは、チャットAIを便利に活用するための実践的なテクニックを解説していこう。ChatGPT、新Bing、Bardの3つを適材適所で使い分け、仕事を効率化したり、日常に生かしたりするすべを身に付けたい。

　前述の通り、チャットAIはネット検索の常識を一変させる可能性を秘める。キーワードの組み合わせで頭を悩ませたり、いくつものウェブサイトを

回答の仕方は三者三様

 プロンプト 肌の老化の主な原因を3つ教えて

 ChatGPT

肌の老化にはさまざまな要因が関与していますが、主な原因を3つ挙げると以下のようになります。

1. 太陽光による紫外線被曝：長時間の紫外線への露出は、肌の老化を促進する主要な要因です。紫外線は肌のコラーゲンや弾力繊維を破壊し、シミ、しわ、たるみなどの兆候を引き起こします。日焼けや日常的な紫外線被曝を避けることが、肌の健康維持に重要です。

2. 自然な加齢プロセス：年齢の増加とともに、肌は自然に老化します。加齢に伴って、肌細胞の再生や修復能力が低下し、コラーゲンやエラスチンの生産が減少します。これにより、肌の弾力性やハリが低下し、しわやたるみが現れます。

3. 生活習慣やストレス：不健康な生活習慣や長期的なストレスは、肌の老化を促進する可能性があります。喫煙、過度のアルコール摂取、栄養不良、睡眠不足などは、肌の健康に悪影響を与えることが知られています。また、ストレスは体内の炎症を増加させ、肌の老化を早める可能性があります。

> 「太陽光による紫外線」「加齢」「生活習慣やストレス」です

これらの要因は、肌の老化を引き起こす可能性がありますが、予防や……持することができます。日常的な紫外線対策や健康的な生活習慣を取り入れることが重要です。また、

図1　一般的な質問なら、3サービスはどれも的確に回答してくれる。全般的にChatGPTは説明が詳しく（上）、新Bingはシンプルにまとめる傾向がある（右上）。Bardはその中間的な印象だ（右下）。新Bingは出典元のリンクが示されるので、回答内容の真偽を確認したいときに便利だ（図の新BingとBardは、標準設定のままの結果）

渡り歩いたりといった無駄を省けるからだ。

　一般的な質問であれば、どのチャットAIでも過不足のない回答が返ってくる（**図1**）。ChatGPTは詳細に説明するケースが多く、新Bingはネット検索に基づいたシンプルな回答が目立つ。Bardは両者の中間といった印象だ。無料で使えるChatGPTは2021年9月までの情報しか学習していないが、最新の時事情報を聞かなければ十分役に立つ。

国語、科学、お薦め店舗……苦手な分野には注意

　ChatGPTで気を付けたいのは、国語や日本史をやや苦手とする点だ。試しに「臥薪嘗胆に似た四字熟語はある?」と尋ねたところ、いわゆる"四字

熟語"としては認めがたい「苦労忍耐」という言葉を生成して答えた（**図2**）。真偽を確かめる必要があるような調べものは、出典元のリンク（詳細情報）も示される新Bingを使うとよいだろう（**図3**）。

　それでもChatGPTは、科学、哲学、健康、経済など幅広い分野の知識を持ち合わせている。例えば「地球に引力がある理由」を聞けば、質問者のレベルに合わせてわかりやすく答えてくれる（**図4**）。国家試験の選択問題にもズバリと正解を出した（**図5**）。

　広範なテーマについてポイントを絞って解説するのも得意だ。「資本主義とマルクス主義の違いを5つのポイントに絞って簡潔に説明して」といった

一般的な知識を回答してもらう

●四字熟語を教えて

ChatGPT

太郎　臥薪嘗胆に似た四文字熟語はある？

　　　「臥薪嘗胆」に似た四字熟語は？

「苦労忍耐」（くろうにんたい）という四文字熟語が、臥薪嘗胆（がしんしょうたん）に似た意味を表現しています。この熟語は、苦労や困難な状況に耐え忍んで、我慢強く努力することを意味します。臥薪嘗胆と同様に、困難な過去の経験から学び、それを乗り越えるための努力を積み重ねるという意味合いが含まれています。

　　　「苦労忍耐」が似ています

図2 「臥薪嘗胆」に似た四字熟語をChatGPTに聞いた。四字熟語やことわざには弱いようで、あまり一般的でない言葉を回答した。出典元も示さないので、回答をそのまま信じるのは避けたい

新Bing

「臥薪嘗胆」に似た四文字熟語としては、「座薪懸胆（ざしんけんたん）」、「越王之胆（えつおうのたん）」、「堅忍不抜（けんにんふばつ）」、「捲土重来（けんどちょうらい）」、「漆身呑炭（しっしんどんたん）」、「彫心鏤骨（ちょうしんるこつ）」などがあります [1]。

[1]：「臥薪嘗胆」の意味とは？使い方から由来や英語までわか

どうぞ参考にしてください。

　　　「座薪懸胆」「越王之胆」「堅忍不抜」
　　　「捲土重来」などがあります

詳細情報： 1. bing.com　2. kanji.reader.bz　3. weblio.jp　4. dictionary.goo.ne.jp　+2 その他　　　1/30 ●

図3 図2と同じ質問を新Bingにしたところ、かなりマイナーな四字熟語も含めて適切な候補を教えてくれた。用法が心配なら下にある出典元（詳細情報）で確認するとよい

●自然科学の疑問に答えて

 ChatGPT

太郎　地球にはなぜ引力がある？高校生レベルで教えて

> なぜ引力があるの？ 高校生に教えて

🌀 地球に引力があるのは、ニュートンの万有引力の法則に基づいています。ニュートンの法則は、物体同士の間に引力が働くというものです。

引力は、物体の質量によって生じる力です。地球は非常に大きな質量を持っているため、周囲の物体に対して引力を発生させます。この引力の力は、地球の中心に向かって働きます。

ニュートンの法則によれば、2つの物体の間の引力は、それぞれの物体の質量に比例し、また物体間の距離の二乗に反比例します。つまり、地球の引力は地球の質量に比例し、地球からの距離の二乗に反比例します。

地球上の物体は、地球の引力に引かれるために地表に留まっています。例えば、私たちが地上で立っている……

> ニュートンの万有引力の法則に基づきます。私たちが立っていられるのは、地球の引力が私たちを地球の表面に引き付けているからです

図4 チャットAIは自然科学のような普遍的な分野に強い。「なぜ地球に引力があるか」「潮の満ち引きが起きる原因」「空の色はなぜ青いのか」といった問いへの回答には誤りが少ない。回答が難しすぎるなら「高校生レベルで」などと指定すればわかりやすく説明してくれる

高難度の試験問題を解いてもらう

太郎　19歳の男性。実験中に水酸化ナトリウム液を右眼に浴び、救急受診した。意識は清明。右眼の結膜浮腫が著明であり、角膜が白濁している。まず行うべきなのはどれか。
　　a 鎮痛薬の内服
　　b 希塩酸液の点眼
　　c 抗菌薬の点滴静注
　　d 生理食塩液での洗眼
　　e 高浸透圧利尿薬の点滴静注

> 実験中に水酸化ナトリウム液を右眼に浴びた男性が救急受診。まず行うべきは？

> まず行うべきは「生理食塩液での洗眼」です

 ChatGPT

🌀 この状況では、まず行うべきことは「d 生理食塩液での洗眼」です。

水酸化ナトリウムはアルカリ性の物質であり、目に浸入すると組織を損傷する可能性があります。洗眼は、目に浸入した物質をできるだけ早く洗い流すために行われます。生理食塩液は浸透圧的に中性であり、洗眼に適しています。

鎮痛薬の内服（適切な鎮痛薬が選択された場合）や希塩酸液の点眼（酸性物質の中和のため）は、洗眼が行われた後の処置として考えられます。

図5 試験の問題文をそのまま入力してもよい。厚生労働省が2022年に実施した医師国家試験（第116回）の問題の1つを入力すると見事に正解。2022年はChatGPTの学習期間の範囲外だが、時事問題でなければ正解が得られる。解説にも不自然さはない

難しい依頼も難なくこなしてくれる（**図6**）。また、引っ越しに必要なタスクを
リスト化するといった作業もおまかせ（**図7**）。引っ越しの経験がないと想像
もつかないが、チャットAIに依頼すれば即答してくれる。

　取引先への訪問や出張の際には、目的地までの交通手段を質問してみ

難しい質問にも端的にまとめて回答

太郎　資本主義とマルクス主義の違いを5つのポイントに絞って簡潔に説明して

ChatGPT

「資本主義」と「マルクス主義」の違いを
5つのポイントで簡潔にまとめて

1. 生産手段の所有と経
　資本主義では、生産手段（工場、土地、機械など）は私有財産として個人
　または企業の所有となります。経済は市場原理に基づき、利益追求や競争を
　通じて動きます。一方、マルクス主義では、生産手段は共有財産とされ、労働
　者階級全体が所有することが理想とされます。経済は計画経済によって管理
　され、生産手段の社会

2. 利益と労働者の地位
　資本主義では、企業
　賃金を受け取る労働

1. 生産手段の所有と経済システムの構造
2. 利益と労働者の地位
3. 分配の仕組み
4. 社会的階層と格差
5. 政治的・文化的な影響

図6　資本主義とマ
ルクス主義の違い
についてポイントを
絞って比較しても
らった。本1冊になる
ような広範なテーマ
だが、指定通り5つ
のポイントを簡潔に
まとめてくれた。膨
大な情報から"まと
め"を作るのはAIの
得意分野といえる

洗い出しが面倒なリストを作ってもらう

太郎　引越しの準備で必要なことをリストにして。リストは簡潔に実行順に並べて

ChatGPT

引っ越しで準備すべきことをリストにして

引越しの準備のために、以下のリストに従って実行することをおすすめします。実
行順に簡潔にまとめています。

1. 引越し日程を確定する。
2. 引越し先の住所や連絡先を確認し、必要な契約を取りまとめる。
3. 不要な物を整理して処分する。売却や寄付、廃棄などの方法を検討する。
4. 必要な梱包材料（段ボール箱、梱包テープ、新聞紙、エアキャップなど）を用
　意する。
5. 項目別に梱包するために、
6. 引越し業者を選び、見積も
7. 引越し業者から提供される
8. 一番使わない物から順に梱

以下のリストに従ってください
1. 引っ越しの日程の確定
2. 引っ越し先の住所や連絡先の確認
3. 不要な物の処分
4. 梱包材の用意
5. ラベルやマーカーの用意
…

図7　洗い出しが面
倒な"やることリスト"
もAIに相談すれば
すぐに列挙してくれ
る。ここでは引っ越
しの準備に必要な
作業をリストアップ
してもらった。やるべ
き順番に並んでいる
ので、ほぼそのまま
活用できそうだ

よう。試しに東京からUSJまでの交通手段を聞いたところ、飛行機と電車、新幹線、夜行バスなど4つの方法を提示してくれた（**図8**）。ただし、**地域の最新情報をChatGPTに聞くのは避けたい**。例えば、お薦めの中華料理店を聞くと、存在しないと思われる店舗を挙げた（**図9**）。

目的地までの交通手段を調べる

太郎 東京からUSJまでの交通手段を知りたい。所要時間順に教えて

ChatGPT 東京からUSJまでの交通手段と所要時間は？

東京からUSJ（ユニバーサル・スタジオ・ジャパン）への交通手段はいくつかあります。以下に所要時間順にご紹介します。

1. 飛行機と電車の組み合わせ:
   - 所要時間: 約3時間から4時間
   - 東京駅から羽田空港または成田空港へ移動します。
   - 羽田空港または成田空港から大阪（伊丹空港または関西国際空港）へ飛行機で移動します。
   - 大阪の空港からUSJへは、電車やバスなどの公共交通機関を利用して移動します。
2. 新幹線:
   - 所要時間: 約2時間30分から3時間
   - 東京駅から新幹線（のぞみやひか
   - 新大阪駅からUSJへは、電車や

飛行機、新幹線、夜行バス、自家用車の4つの交通手段があります

3. 夜行バス:
   - 所要時間: 約7時間から9時間
   - 夜行バスに乗り、東京から大阪まで移動します。

図8 東京からユニバーサル・スタジオ・ジャパン（USJ）までの交通手段を尋ねたところ、妥当といえる回答が返ってきた。ChatGPTはローカル情報には弱いものの、有名観光地であれば答えられるようだ。ただし、所要時間順というリクエストに反して飛行機と新幹線が逆に提示された

ChatGPTの"評判の人気店"は危ない

太郎 赤坂で美味しい中華料理の店とそのオススメ料理をまとめて

ChatGPT

赤坂でおいしい中華料理店とオススメ料理は？

赤坂地域で美味しい中華料理を提供しているいくつかの店舗と、それぞれのオススメ料理をご紹介します。

1. 赤坂龍吟（あかさかりゅうぎん）
   オススメ料理：北京ダック、エビチリ、麻婆豆腐
   赤坂龍吟は高級中華料理店で、北京ダックが特に評判です。また、エビチリや麻婆豆腐もおすすめの一品です。
2. 極楽湯 赤坂店（ごくらくとうあかさかてん）
   オススメ料理：小籠包、酸辣湯（サンラータン）、麻婆豆腐
   極楽湯は中華料理のほかにも、湯葉や餃子なども提供しているお店です。特に小籠包や酸辣湯は人気のあるメニューです。
3. 赤坂福龍軒（あかさかふくりゅうけん）
   オススメ料理：エビチリ、麻婆豆腐、海鮮炒め
   赤坂福龍軒はリーズナブルな価格で美味しい中華料理を提供しています。エビチリや麻婆豆腐、海鮮炒

以下の4店とそれぞれのオススメ料理を紹介します

図9 ChatGPTはローカル情報に疎く、店舗情報を別途ネットで検索してみると、存在しないと思われるような店だったというケースが多い。その点、ネット検索がベースの新Bingのほうが信頼性は高い。基本的に出典元を確認できる新Bingを利用するのが賢明だ

新Bingなら最新ニュースも画像検索もOK

　最近の情報をチャットAIで調べたいとき、2021年9月までの情報しか持たないChatGPT（無料版）を使うのは賢明ではない。その場合の選択肢は、新BingかBardの二択だ。例えば、2023年に開催されたWBC（ワールド・ベースボール・クラシック）の優勝国と準優勝国はどこか質問すると、新BingとBardはどちらも正解した（図1）。特に新Bingは、出典元のリンクや

最新情報なら新Bingがオススメ

プロンプト 2023年開催のWBCの優勝国と準優勝国は?

新Bing

2023年開催のWBCの優勝国と準優勝国は？

✓ '2023年 WBC 優勝国 準優勝国' を検索しています

✓ 回答を生成しています…

優勝は日本で準優勝はアメリカです

2023年のWBCで優勝したのは日本で、準優勝はアメリカです。[1][2] 日本は賞金300万ドル（約4億500万円）を獲得しました。[1][2]

[1]：【WBC】侍ジャパン優勝賞金4億500万円獲得 準優勝米国2億3000万円 全20カ国に賞金 [2]：WBC 2023 決勝 日本 アメリカに3-2で勝ち 3大会ぶりの世界一

詳細情報 1. nikkansports.com 　2. www3.nhk.or.jp 　3. nhk.or.jp 　　1 / 30 ●

出典元を表示

教えて　　WBCのルールについて教えて　　WBCの試合日程を教えて

図1　2023年に開催されたWBCの優勝国を知りたいといった比較的新しい情報に関する質問は、ネット検索をベースに回答する新BingかBardにしたい（上、右上）。特に新Bingは回答の下にある出典元のリンク（詳細情報）で事実確認ができるのが魅力。2021年9月までの学習データしかないChatGPTは回答できない（右下）

ウェブページのサムネイル（縮小画像）も表示するのでお薦めだ。

　ある情報を得るために自分でネットを検索する場合、あちこちのウェブページを参照して情報を集め、それらを比較検討し、取捨選択する必要がある。こうした作業にはコツがいるし、手間もかかるものだ。一方、**新Bingを使えば、質問一発でさまざまなウェブページの情報を集約できる**。試しに、開催が迫った競馬のレースについて有力馬を尋ねると、多様なネット情報を基に、1強ムードであることを教えてくれた（次ページ**図2**）。関連サイトのサムネイルも表示される点は秀逸だ。

　最もニーズがある最新情報といえば、天気予報だろう。単純に天気を聞くだけでなく、「**今日は傘がいる?**」などと気軽に質問できるのがチャットAIの

利点。新Bingに質問してみると、天気情報を基に、傘の必要性まで教えてくれた。気温の変化もグラフで示してくれるのでわかりやすい（**図3**）。

　出張や旅行に備えて、**出発地と到着地など2カ所の天気を調べたいとき**もある。その場合も、新Bingなら質問1回で済む（**図4**）。気温に合う服装のアドバイスをもらえるのもうれしい。

「夏休み」「屋外」「子供と一緒」……イベント検索も一発

　ネット検索を併用する新Bingは、イベント情報にも強い。例えば、見たい映画のタイトルと見る地域を告げて上映中の映画館を尋ねると、該当する

最新情報を効率的に集めてくれる

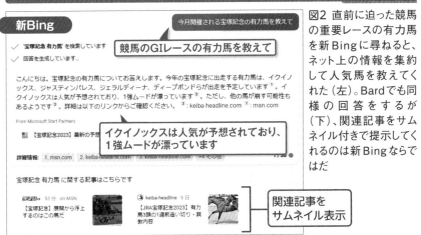

図2 直前に迫った競馬の重要レースの有力馬を新Bingに尋ねると、ネット上の情報を集約して人気馬を教えてくれた（左）。Bardでも同様の回答をするが（下）、関連記事をサムネイル付きで提示してくれるのは新Bingならではだ

▶気象情報も調べやすい

●傘が必要か気軽に聞ける

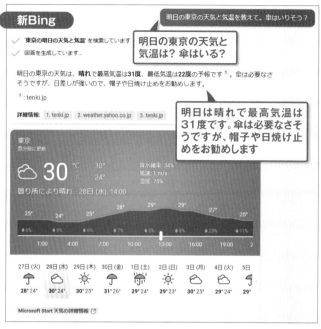

明日の東京の天気と気温を教えて。傘はいりそう？

新Bing

✓ '東京の明日の天気と気温' を検索しています

✓ 回答を生成しています…

明日の東京の天気は、**晴れ**で最高気温は**31度**、最低気温は**22度**の予報です[1]。傘は必要なさそうですが、日差しが強いので、帽子や日焼け止めをお勧めします。

[1] : tenki.jp

詳細情報: 1. tenki.jp　2. weather.yahoo.co.jp　3. tenki.jp

明日の東京の天気と気温は? 傘はいる?

明日は晴れで最高気温は31度です。傘は必要なさそうですが、帽子や日焼け止めをお勧めします

東京
数分前に更新

☁ **30** ℃
30°
24°

降水確率: 34%
風速: 1 m/s
湿度: 75%

曇り所により晴れ・28日 (水), 14:00

25°　24°　25°　28°　29°　29°　27°　25°
6%　9%　8%　7%　5%　9%　23%　11%
1:00　4:00　7:00　10:00　13:00　16:00　19:00　22:00

27日 (火)　28日 (水)　29日 (木)　30日 (金)　1日 (土)　2日 (日)　3日 (月)　4日 (火)　5日

28°24°　30°24°　30°25°　31°26°　29°24°　29°23°　30°25°　29°24°　29°

Microsoft Start 天気の詳細情報 ↗

図3　新Bingは指定した場所の天気予報を適切に教えてくれる。傘が必要になるか気軽に聞けるのもチャットAIの良さ。気温の変化や降水確率などがグラフィカルに表示されるのは新Bingならでは

●2カ所の天気も同時に聞ける

今週の東京都とニューヨークの天気を教えて。服装は同じいい？

新Bing

✓ '今週の東京都とニューヨークの天気' を検索しています

✓ 回答を生成しています…

今週の東京とニューヨークの天気は? 服装は同じでいい?

今週の東京都の天気は、**晴れや曇りが続く**ようです。最高気温は**30℃**、最低気温は**23℃**となっています[1]。ニューヨークの天気は、**曇りや雨が続く**ようです。最高気温は**26℃**、最低気温は**20℃**となっています[2]。服装については、東京都は夏らしい服装で、ニューヨークは軽めのジャケットが必要かもしれません。

[1] : 東京都の天気 - 日本気象協会 tenki.jp　[2] : ニューヨーク, NY, アメリカ合衆国の10日間の天気予報 - The Weather Channel | Weather.com

詳細情報: 1. tenki.jp　2. weathernews.jp　3. weather.com　　　1 / 30 ●

(?)　今週の東京都の天気はどうなる？　ニューヨークの天気はどうなる？　今週の東京都の最高気温は？

東京は晴れや曇りが続き、ニューヨークは曇りや雨が続くようです。東京は夏らしい服装、ニューヨークはジャケットが必要かもしれません

図4　これまで天気予報は1カ所ずつ調べるのが当たり前だったが、チャットAIでは2カ所を同時に聞ける。出発地と目的地の天気を一緒に調べたいときに重宝する。ここでは気温に合った服装のアドバイスももらった

ものを地図付きで提示してくれる（**図5**）。時には間違うケースもあるが、詳細情報のリンクをたどって情報源を確認すれば失敗を防げる。「夏休みに東京で行われる屋外イベントで、子供と一緒に楽しめるもの」のように、たくさんの注文を付けて質問をしても大丈夫だ（**図6**）。

市場動向を調べたり、自分が購入する製品を検討したりするとき、**特定のジャンルの"売れ筋"を調べる**ことはよくある。そんなときも、新Bingに聞

▶ イベント情報をまとめてもらう

● 見たい作品の上映館を知りたい

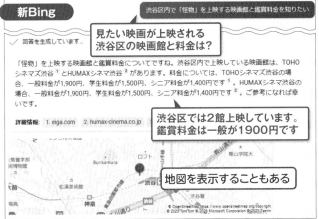

図5 地域を指定して、見たい作品を上映している映画館を調べることも可能だ。新Bingでは地図を示してくれる場合もある。だが、必ずしもすべての映画館をリストアップしてくれるとは限らず、鑑賞料金が間違っているケースもあった。細部の間違いはよくあるので出典元の確認が不可欠だ

● 夏休みに子供と行けるイベントを探す

夏休みに東京で行われる屋外の人気イベントを教えて。子どもと一緒に楽しめるものです

新Bing

夏休みに子供と楽しめる屋外の人気イベントは？

夏休みに東京で行われる屋外の人気イベントを教えてとのことですね。東京周辺で子供と一緒に楽しめる屋外イベントはたくさんありますよ。例えば、以下のようなイベントがあります。

- 「サマーランド」：プールやアトラクションがある遊園地です。夏休み期間中は、ナイトプールも開催されます。
- 「東京湾納涼船」：東京湾を船で巡りながら、夜景を楽しめます。食事もついているコースもあります。
- 「江戸東京たてもの園」：江

サマーランド、東京湾納涼船、江戸東京たてもの園、花火大会があります

図6 夏休みの期間中に東京で実施される屋外のイベントで、「子供と一緒に楽しめる」という条件を加えると4つのイベントを提案してくれた。いずれも実際にあるイベントで内容に大きな問題はなかった

いてみよう。試しにポータブルSSDについて尋ねると、価格.comとAmazon
のランキングを参考にした回答が得られた（**図7**）。さまざまな製品が乱立
するデジタル一眼カメラの人気モデルも即座に回答（**図8**）。続けて「本体

売れ筋の商品を調べる

新Bing

500GB以上のポータブルSSDの売れ筋を教えて

**500GB以上の
ポータブルSSDの売れ筋は？**

✓ 'ポータブルSSD 500GB以上 売れ筋' を検索して
✓ 回答を生成しています...

500GB以上のポータブルSSDの売れ筋についてですね。価格.comによると、バッファローのSSD-PUT1.0U3-BKCが人気のようです[1]。Amazon.co.jpでも、バッファローのSSD-PUT1.0U3-B/Nが人気のようです[2]。他にも、容量500GB以上の外付けSSD製品一覧を見ることができます[1]。ぜひ参考にしてください。

**価格.comとAmazonでは
バッファローの製品が人気です**

詳細情報: 1. kakaku.com 2. amazon.co.jp 3. kakaku.co

(?) バッファローのSSD-PUT1.0U3-BKCについて教えて   他にも人気のポータブルSSDはある？

✎ 新しいトピック   (?) 何でも聞いてください...

図7 商品の売れ行きなどのトレンド情報にも強いのか試してみた。容量を指定してポータブルSSDの人気モデルを聞くと、価格.comとAmazonを参照してバッファローの製品を提示。下部にある出典元のリンクでランキングも見られるので助かる

サービスや製品の情報をまとめてもらう

●人気モデルや軽量モデルをピックアップ

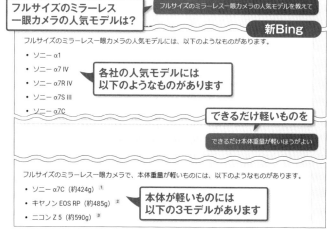

**フルサイズのミラーレス
一眼カメラの人気モデルは？**

フルサイズのミラーレス一眼カメラの人気モデルを教えて

新Bing

フルサイズのミラーレス一眼カメラの人気モデルには、以下のようなものがあります。

- ソニー α1
- ソニー α7 IV
- ソニー α7R IV
- ソニー α7S III
- ソニー α7C

**各社の人気モデルには
以下のようなものがあります**

できるだけ軽いものを

できるだけ本体重量が軽いほうがよい

フルサイズのミラーレス一眼カメラで、本体重量が軽いものには、以下のようなものがあります。

- ソニー α7C（約424g）[1]
- キヤノン EOS RP（約485g）[2]
- ニコン Z 5（約590g）[3]

**本体が軽いものには
以下の3モデルがあります**

図8 多数の製品があるフルサイズのミラーレス一眼カメラの人気を聞くと、各社の有力モデルをピックアップ。数が多いので軽量なモデルを問い合わせると、3モデルを提示してくれた。数カ月前に発売された最新モデルは漏れてしまったが、おおむね妥当な絞り込みだった

●複雑なシリーズ構成を整理

新Bing ロボット掃除機ルンバのラインアップを教えて

> **ルンバのラインアップを教えて**

ルンバのラインアップは以下の通りです [1]：

- **s**シリーズ（s9+）：他機種を遥かに上回る圧倒的な清掃能力が特徴のハイクラスモデル
- **j**シリーズ（コンボ j7+、j7+/j7）：障害物回避機能を搭載した最も賢い頭脳の上位モデル
- **i**シリーズ（i7+/i7、i5+/i5、i3+/i3、i2）：多機能でコスパの良い中位モデル
- **e**シリーズ（e5）：シンプル機能で低価格なエントリーモデル

以上です。ご参考になれば幸いです。

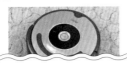

> **ラインアップは以下の4シリーズです**

iシリーズの各モデルを価格順に並べてください

iシリーズの各モデルの価格は以下の通りです [1]：

- i7+：約10万円
- i7：約8万円
- i5+：約7万円
- i3+：約6万円
- i2：約5万円

> **iシリーズの各モデルを価格順に並べて**

> **iシリーズの5モデルの価格は以下の通りです**

図9 ラインアップが多くて複雑なロボット掃除機の整理を頼んだ。シリーズの概要を添えてくれたのでわかりやすい。最廉価のシリーズが抜けるなど、完全な網羅は難しかったものの目安にするには十分だ。さらに価格順にも並べてくれた。ちなみにラインアップがより多いコードレス掃除機の整理も試したが、こちらの結果は芳しくなかった

●スマホの料金プランのオススメを聞く

新Bing 格安SIMで月3GBの音声通話付きプランのオススメを教えて

✓ 格安SIM 月
> **格安SIMで月3GBの音声通話付きプランのオススメは?**

✓ 回答を生成しています...

月3GBの音声通話付きプランのおすすめ格安SIMをご紹介します。以下のサイトで比較されている格安SIMを参考にしてみてください。[1] [2] [3]

- エキサイトモバイル：880円（税込）[3]
- HISモバイル：790円（税込）[4]
- nuroモバイル：792円（税込）[4]
- OCN モバイル ONE：770円（税込）[4]

> **4社のプランを紹介します**

以上のプランが、1,000円代の格安SIMの中でもおすすめです。

詳細情報: 1. rbbtoday.com 2. mobareco.jp 3. sim-mvno.com 4. itmedia.co.jp　　1 / 30 ●

(?) [What is the difference between these plans?] [Which one has the best coverage?]

✏ 新しいトピック　　(⊹) 何でも聞いてください...　　🎤

図10 スマホの格安SIMは料金プランが豊富かつ複雑だ。容量が月3GBで音声通話付きという条件でお薦めを聞くと、1000円以下の手ごろな4プランを選定。ただし、一部のプランは改定が反映されていなかった。また、この直前にOCNモバイルONEの新規受け付け停止が発表されたが、そこまではフォローされなかった

が軽いもの」を尋ねると、該当する製品を重さとともに提示してくれた。ネット検索でイチから調べるより格段に効率的だ。

製品のラインアップを整理、オススメの提案も

ラインアップが多様で、メーカーのサイトを見てもどれを選べばよいのかわからない家電製品は多い。そんなときはAIの力で整理してもらうのも手だ。図9はロボット掃除機のラインアップを整理してもらった例。各シリーズの位置づけを簡潔にまとめてくれるほか、「価格順に並べて」と頼むこともできる。プランが複雑で素人には選びにくいスマホの格安SIMも、「月3GBの音声通話付き」と指定してオススメお薦めを聞くと、1000円を切る4社のプランを提示してくれた（図10）。

画像検索に対応するのも新Bingならでは（図11）。「○○の画像を探し

▶画像の検索もまかせられる

●被写体を指定して写真を探す

図11 画像や写真を探したいときは、ストレートに「○○の画像（写真）を検索して」と頼めばよい。ここでは夕景の富士山の写真を依頼した。新Bingでは、該当する写真を掲載しているサイトを提案するほか、写真がサムネイルで表示され、イメージ通りのものを見つけやすい

て」と頼めば、そのような画像を掲載するウェブサイトを紹介してくれる。サムネイルも表示してくれるのでわかりやすい。似ている画像を探すのも簡単だ。例えば「イギリスに似た国旗の国を探して」と頼んだところ、国名に加えて国旗のサムネイルも表示された（**図12**）。

なお、Bardでも画像の検索は可能だが、本稿執筆時点では日本語に対応していない。「Show me ～」のように英語で質問すれば、回答も英語になるものの、画像を提示してくれる場合がある（**図13**）。

●似ている国旗を探す

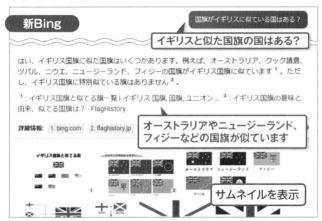

図12 「国旗がイギリスと似ている国」を探してもらったところ、オーストラリアやニュージーランドなどが似ていると回答。加えてそれらの国旗のサムネイルも提示してくれた。どの国が似ているのかが一目瞭然だ

図13 Bardはまだ正式には画像の検索に対応していないが、英語で依頼すれば一部可能。英語でレオナルド・ダ・ヴィンチの描いたイラストを依頼したところ、ウィキペディアを参照して有名な「ウィトルウィウス的人体図」が表示された

Section 03 会話能力をフル活用！面接の練習やクイズの挑戦も

チャットAIの会話能力を生かして、いろいろな役割を演じてもらうのも効果的だ。「ロールプレイ」といわれるもので、物語の登場人物、弁護士、教師、面接官などさまざまな役割をAIに演じてもらう。指定した役に最もなりきってくれるのがChatGPT（図1）。例えば、夏目漱石の「吾輩は猫である」に登

役割を演じるChatGPT

プロンプト あなたは夏目漱石の『吾輩は猫である』の猫になりきって。口調は「である」。会話形式で出力して。説明文や引用は不要。一度の会話は200文字程度

 おい、お前は何者だい？吾輩はこの家の主である。まさか新たな猫がやってきたのか？吾輩はここが気に入っているのだが、お前はどうだい？この家は暖かくて、おいしい食事もいただけるので、吾輩には申し分ないである。

ChatGPT

 自分こそこの家の主です

 ほほう、お前がこの家の主だというのか。吾輩は少々驚いたである。しかし、お前がこの家を支配するのならば、吾輩もお前に従う覚悟である。どのような命令があるのか、言ってみよ。吾輩は忠実に従うつもりである。

図1 小説やアニメなどの登場人物の役をチャットAIに割り当てると、チャットAIがそれになりきって会話を始める。役割を最も忠実に果たすのがChatGPTだ。新BingやBardも役割を指定できるが、スムーズさに欠ける場面も多かった

AIと簡単な会話を楽しむ

●クイズを出題してもらう

太郎　私と歴史トリビアクイズをしましょう。先に問題を出して

> 歴史トリビアクイズをしましょう

🤖　もちろん、歴史トリビアクイズをお楽しみしましょう！では、最初の問題です。

問題: フランス革命が勃発した年はいつでしょうか？

> では最初の問題です。フランス革命が勃発した年はいつ？

太郎　ヒントをください

> わからないからヒントを！

> 18世紀後半から19世紀初頭にかけて起きた重要な出来事です

🤖　もちろんです。フランス革命が勃発した年に関するヒントをお伝えします。

ヒント: フランス革命は18世紀後半から19世紀初頭にかけて起きた重要な出来事です。特に、バスティーユ牢獄の襲撃がフランス革命の象徴的な出来事の一つとされています。

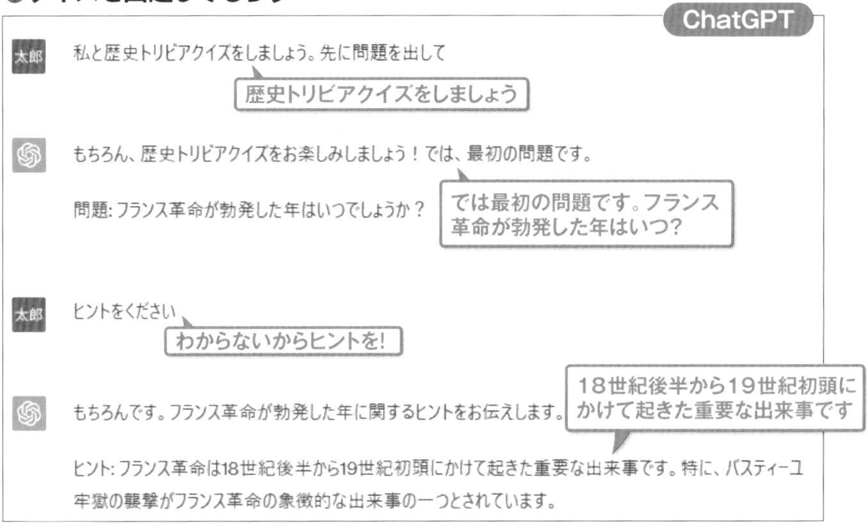

図2 ChatGPTに会話形式でクイズを出題してもらうと、ヒントを聞きながら人間相手のように会話を進めることができる。しかし、ヒントを求めても正解を出力したり、正解を入力しても間違いと判定されたりと実用度はいまひとつ。日本史の問題は誤答も目立った。ちなみに新BingとBardでは、ヒントがうまく出せない場合があった

●意外にも「しりとり」には弱い

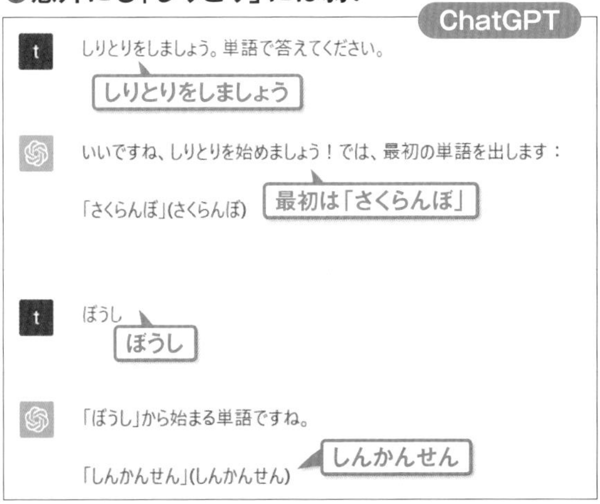

t　しりとりをしましょう。単語で答えてください。

> しりとりをしましょう

🤖　いいですね、しりとりを始めましょう！では、最初の単語を出します：

「さくらんぼ」(さくらんぼ)

> 最初は「さくらんぼ」

t　ぼうし

> ぼうし

🤖　「ぼうし」から始まる単語ですね。

「しんかんせん」(しんかんせん)

> しんかんせん

図3 膨大な学習データを誇るチャットAIだが、意外としりとりには弱い。ルールを理解できていないようで、最後に「ん」「ン」が付く言葉をすぐに使ってしまう。条件としてルールを細かく指定してもあまり効果がなかった

場する猫になってもらい、こちらから話しかけるとちゃんとそれらしい反応が返ってくる。新BingやBardでも役割を設定することはできるが、**プロンプトで細かく条件を指定するならChatGPTが向いている。**

　簡単に会話能力を試したいならクイズを出してもらうとよい（**図2**）。ヒントを求めながら正解にたどり着こう。だが、意外なことに「しりとり」には弱い（**図3**）。弱いというよりルールを理解できていないようで、「ん」で終わる言

役割を与えて会話や議論ができる

●博識なAI弁護士と白熱議論

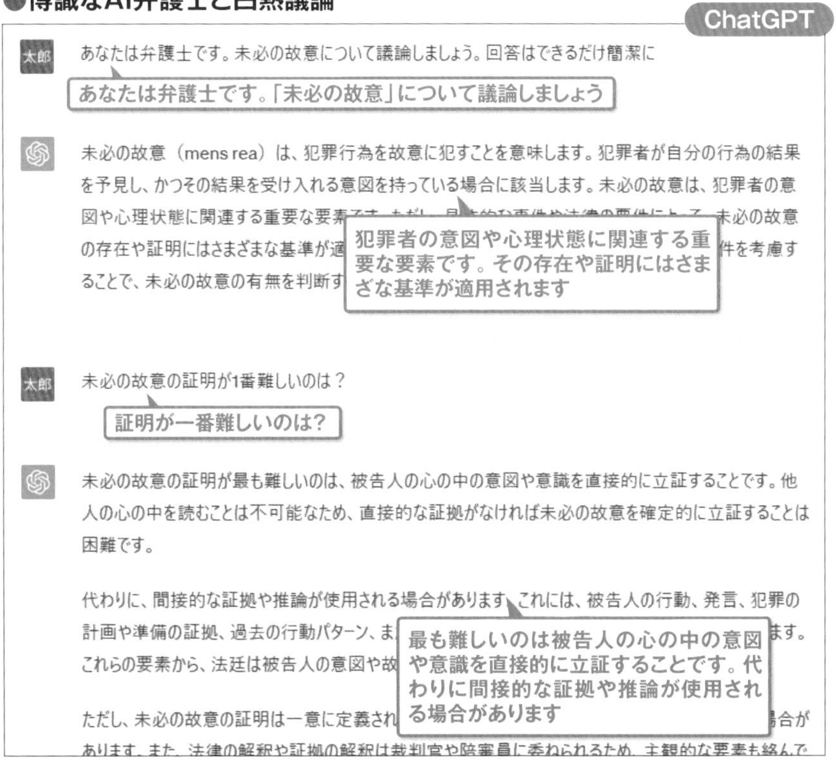

`ChatGPT`

太郎　あなたは弁護士です。未必の故意について議論しましょう。回答はできるだけ簡潔に

> あなたは弁護士です。「未必の故意」について議論しましょう

　未必の故意（mens rea）は、犯罪行為を故意に犯すことを意味します。犯罪者が自分の行為の結果を予見し、かつその結果を受け入れる意図を持っている場合に該当します。未必の故意は、犯罪者の意図や心理状態に関連する重要な要素です。ただし、具体的な事件や法律の要件によって、未必の故意の存在や証明にはさまざまな基準が適用され……件を考慮することで、未必の故意の有無を判断す……

> 犯罪者の意図や心理状態に関連する重要な要素です。その存在や証明にはさまざまな基準が適用されます

太郎　未必の故意の証明が1番難しいのは？

> 証明が一番難しいのは？

　未必の故意の証明が最も難しいのは、被告人の心の中の意図や意識を直接的に立証することです。他人の心の中を読むことは不可能なため、直接的な証拠がなければ未必の故意を確定的に立証することは困難です。

　代わりに、間接的な証拠や推論が使用される場合があります。これには、被告人の行動、発言、犯罪の計画や準備の証拠、過去の行動パターン、ま……ます。これらの要素から、法廷は被告人の意図や故……

　ただし、未必の故意の証明は一意に定義され……合があります。また、法律の解釈や証拠の解釈が裁判官や陪審員に委ねられるため、主観的な要素も絡んで

> 最も難しいのは被告人の心の中の意図や意識を直接的に立証することです。代わりに間接的な証拠や推論が使用される場合があります

図4　ChatGPTに役割を与えるには「あなたは〇〇です」「〇〇になって」と宣言する。ここでは弁護士になってもらって「未必の故意」について議論してみた。法律関係は長文で出力される傾向があるので「説明は簡潔に」などと注文を付けるとよい

葉を連発してゲームにならなかった。

「あなたは○○です」と宣言して役割を与える

ここからはもっと本格的なロールプレイを紹介しよう。**ポイントは「あなたは○○です」「○○になって」などとプロンプトで宣言すること**。前ページ図4ではAIに弁護士になってもらい、「未必の故意」について議論を挑んでみた。法律関係のやり取りは長文になりがちだが、自然な対話を進められた。

プロンプトで「禅宗の僧侶のように」「僧侶が使う言い回しや語彙を使う」と指定すれば、半永久的に続く禅問答のような対話も可能（**図5**）。どんな発

●禅問答のように対話を続ける

> **プロンプト** あなたは禅宗の僧侶のように答えてください。
> 僧侶が使うような言い回しや語彙で反応してください。
> 説明文は不要です。
> 禅問答のように回答するだけです。

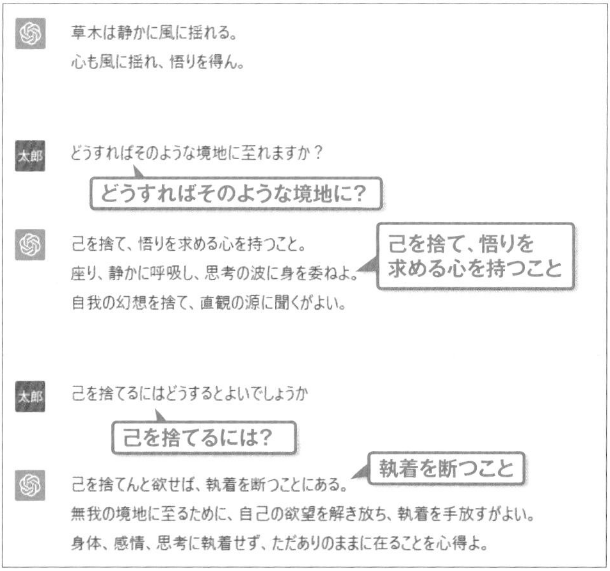

図5 禅問答のように人間が問いを発し、チャットAIが答えるという対話も可能だ。ここでは「禅宗の僧侶」の役割をChatGPTに与え、言い回しや語彙もまねするように指定した。回答が冗長になりすぎないように「説明文は不要」と補足している

> 🌀 草木は静かに風に揺れる。
> 心も風に揺れ、悟りを得ん。

> 太郎 どうすればそのような境地に至れますか？
>
> **どうすればそのような境地に？**

> 🌀 己を捨て、悟りを求める心を持つこと。
> 座り、静かに呼吸し、思考の波に身を委ねよ。
> 自我の幻想を捨て、直観の源に聞くがよい。
>
> **己を捨て、悟りを求める心を持つこと**

> 太郎 己を捨てるにはどうするとよいでしょうか
>
> **己を捨てるには？**

> 🌀 己を捨てんと欲せば、執着を断つことにある。
> 無我の境地に至るために、自己の欲望を解き放ち、執着を手放すがよい。
> 身体、感情、思考に執着せず、ただありのままに在ることを心得よ。
>
> **執着を断つこと**

言にも答えを返すので、自分を見つめ直すには最高の相手だ。なお、Chat GPTは知識を冗舌に語る傾向が強い。**長文が出力されて困るなら「簡潔に」「説明文は不要」「〇文字程度に」などと条件を付けて問いかけよう。**

　ChatGPTは歴史上の人物にもなりきれる。**図6**では織田信長を演じても

歴史や物語の人物になりきってもらう

プロンプト Prompt
あなたは織田信長になりきって私と会話して。
私は家臣の立場で話します。
##前提条件##
あなたは戦国時代の織田信長
私はあなたの家臣です
##ルール##
あなたの口調はえらそうな感じです
武士のような言葉遣いをしてください
あなたの一人称は「儂」です
私を呼ぶ際は呼び捨てです。呼び方は「藤吉郎」
1回の発言は200文字程度

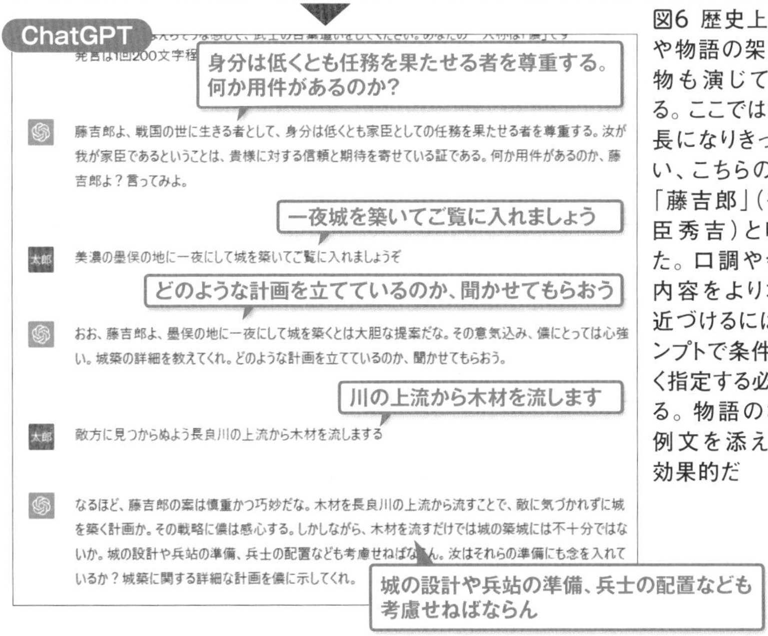

ChatGPT

身分は低くとも任務を果たせる者を尊重する。何か用件があるのか？

藤吉郎よ、戦国の世に生きる者として、身分は低くとも家臣としての任務を果たせる者を尊重する。汝が我が家臣であるということは、貴様に対する信頼と期待を寄せている証である。何か用件があるのか、藤吉郎よ？言ってみよ。

一夜城を築いてご覧に入れましょう

太郎　美濃の墨俣の地に一夜にして城を築いてご覧に入れましょうぞ

どのような計画を立てているのか、聞かせてもらおう

おお、藤吉郎よ、墨俣の地に一夜にして城を築くとは大胆な提案だな。その意気込み、儂にとっては心強い。城築の詳細を教えてくれ。どのような計画を立てているのか、聞かせてもらおう。

川の上流から木材を流します

太郎　敵方に見つからぬよう長良川の上流から木材を流しまする

なるほど、藤吉郎の案は慎重かつ巧妙だな。木材を長良川の上流から流すことで、敵に気づかれずに城を築く計画。その戦略に儂は感心する。しかしながら、木材を流すだけでは城の築城には不十分ではないか。城の設計や兵站の準備、兵士の配置なども考慮せねばならん。汝はそれらの準備に念を入れているか？城築に関する詳細な計画を儂に示してくれ。

城の設計や兵站の準備、兵士の配置なども考慮せねばならん

図6 歴史上の人物や物語の架空の人物も演じてもらえる。ここでは織田信長になりきってもらい、こちらのことは「藤吉郎」（後の豊臣秀吉）と呼ばせた。口調や会話の内容をより本物に近づけるには、プロンプトで条件を細かく指定する必要がある。物語の場合は例文を添えるのも効果的だ

就職や転職の面接官になってもらう

プロンプト　あなたは面接官の役割を演じてください。　**ChatGPT**
私は面接に来た応募者です。
##指示##
・あなたが話しかけるのは私だけです
・あなたが1つだけ質問したら私が回答します
・会話形式で出力してください
・1度に複数の会話を出力しないでください
・説明文は不要です。「質問1」のような補足も不要です
##あなたの設定##
企業の面接官です
##あなたの発言の条件##
・質問によって話を掘り下げ、話題を変えたり広げたりしてください
・指示とあなたの設定を守り続けてください
・あなたは自分を面接官とは呼びません
##私の設定##
志望職種は営業です

ChatGPT　よろしくお願いします。では、面接を始めましょう。あなたの志望職種は営業ですね。営業に興味を持ったきっかけや、なぜこの職種を選んだのかについて教えてください。

自分　大学時代にサークル活動の一環で企業のスポンサーを募ったことがありました。その際の交渉に手ごたえがあり、自分にも合っていると感じました。

ChatGPT　ありがとうございます。サークル活動でのスポンサー募集の経験が営業に興味を持つきっかけとなったのですね。交渉に手ごたえを感じたということですが、どのような点で手ごたえを感じましたか？ また、営業において自分に合っていると感じる要素は何ですか？

自分　相手との信頼関係を築きつつ、ギブアンドテイクでお互いの利益になるように努められることでしょうか。

ChatGPT　素晴らしいですね。信頼関係の構築と相互の利益を追求する姿勢は、営業において非常に重要な要素です。相手との信頼関係を築きながら、お互いに利益をもたらすギブアンドテイクの関係を構築することで、長期的なパートナーシップを築くことができます。営業において、信頼関係を築くためにどのような取り組みを行っていますか？ また、ギブアンドテイクの関係を実現するためにどのような努力をしていますか？（以下略）

図7 ChatGPTは就職や転職の面接官も演じられる。プロンプトでは、前提条件としてChatGPTが面接官、自分が応募者であることを明示。会話の進め方や志望職種なども併せて指定することで、自分の発言に対してAIが本物の面接官のように受け答えする

らったが、性格や口調などを細かく指定する必要がある。**前提条件やルール**は、「##」などを目印にした"見出し"を付けるのがコツだ。

面接官になってもらい、面接の練習をする

　ロールプレイは仕事にも役立つ。就職や転職の面接官になりきるのも朝飯前だ（**図7**）。挨拶から始まり、志望動機の確認など面接の流れは至って自然。こちらの回答を踏まえて対応してくるので面接の練習にピッタリだ。

▶ 複数人が参加する会議を開く

プロンプト	社内におけるテレワークの是非と改善について

会議を開催します。　　　　　　　　　　　　ChatGPT
##前提条件##
・テレワークはすでに導入
・業務効率の改善を図りたい
・社員の労働時間を把握したい
・セキュリティ面の問題を洗い出したい
・テレワーク推進派が多い
##あなたの設定##
部長として会議の進行役を務めます
##会議の参加者の設定##
社員1：反対派（30代女性）
社員2：推進派（20代男性）
社員3：慎重派（60代男性）
社員4：推進派（30代男性）
##指示内容##
・上記の参加者による会議での会話のやり取りを出力してください
・参加者は設定を守って他者の発言内容を踏まえ、相互に影響し合いながら賛成や反対の意見を発言します
・参加者は発言の際に必ず自分の意見を追加して会話を続けてください
・発言は1人2回までとします
・発言の順番はランダムです
・会議の議論の内容のみを会話形式で出力してください
・議事録や説明文は出力しないでください

図8　ここでは企業におけるテレワークの改善を議題とした会議を想定。推進派と反対派を交えた4人の社員と、進行役を参加者として設定した。「上記の参加者による会議での会話のやり取りを出力して」などと依頼することで、AIが演じる参加者同士の会話がシナリオのように出力される

ChatGPTは複数の人物の役割もこなせるので、仮想の会議も開催できる（前ページ図8）。会議のテーマ、参加者とその人物像、発言のルールなどを指定すると、AIの参加者同士が勝手に発言して議論を進める（図9）。人間（ユーザー）が意見を述べると、それに対して白熱した議論を始めるので、本物の会議も顔負けだ。**進む議論の中で共有された情報や、AIの参加者が示した考え方を参考にすれば、実際のビジネスにも役立てられる。**自分が参加する会議やプレゼンの情報をChatGPTに与えて予行演習をして、想定問答を準備することもできるだろう。

ここで示したプロンプトはあくまで一例だ。目的に合わせて条件などを調整して活用しよう。

会議の進行役（部長）：皆さん、今日の会議の主題は、社内におけるテレワークの是非と改善についてです。既にテレワークは導入されていますが、業務効率の改善や社員の労働時間の把握、セキュリティ面の問題の洗い出しなど、さらなる改善点について話し合いたいと思います。テレワーク推進派が多いとのことですが、皆さんの意見を聞かせていただきます。

社員1（反対派） テレワークは便利な一方で、コミュニケーションの面で問題があると感じています。リモートでのコミュニケーションでは、意思疎通や情報共有が難しくなることがあります。特にプロジェクトの進捗状況や意見交換がリアルタイムでできないことによる遅延が問題です。

社員2（推進派） 確かにコミュニケーションの課題はありますが、テレワークのメリットも見逃せません。自宅やカフェなどの環境で作業できることで、集中力が高まり、生産性も向上するでしょう。また、通勤時間の削減によるストレス軽減やワークライフバランスの向上も期待できます。

社員3（慎重派） テレワークの利点は理解できますが、私はまだ慎重な立場をとりたいと思います。例えば、社員の働き方や生産性の把握が難しくなるかもしれません。チームのパフォーマンス評価や成果物の管理も慎重に行わなければならないと思います。

中略

会議の進行役（部長） 皆さん、貴重な意見をありがとうございます。テレワークにはコミュニケーションやセキュリティの課題が存在する一方で、効率や柔軟性の向上などのメリットもあります。これらの意見を踏まえ、改善策について具体的な提案をしていきましょう。

図9 図8のプロンプトに対する回答の例。参加者がそれぞれ発言し、進行役がまとめるという流れで会話が進む。回答が止まったところで自分が発言すると、それに対する議論が再び始まる

もうサポートは不要!?
パソコントラブルの対処法を聞く

Section 04

チャットAIはパソコンのトラブル解決にも役立つ。大ざっぱに「パソコンが起動しない」と尋ねても、その解決策を丁寧に列挙してくれる（**図1**）。

ただし、最初に数多くの解決策を提示するためか、追加質問ではあまり良い回答を得られなかった（**図2**）。「Windowsが起動しない」などと、より

起動しない原因を探ってみる

 パソコンが起動しない　　　　　　　　**ChatGPT**

以下のステップを順に試して

 お困りのようですね。パソコンが起動しない場合、いくつかのトラブルシュー
を試してみることができます。以下のステップを順番に進めてみてください。

1. 電源ケーブルや電源コンセントを確認してください。十分に接続されてい
   し、電源が入っていることを確認してください。
2. パソコンの電源ボタンを長押ししてみてください。時々、電源ボタンを押

図1 ChatGPTに「パソコンが起動しない」と尋ねると、電源やケーブルの接続確認、セーフモードでの起動、バッテリーの残量確認などを丁寧な言葉で促してきた

●追加で質問すると故障を疑われた

 ケーブルは問題なかったです。ほかに原因は？ ◀ **ケーブルは問題なし**

電源ユニットやハードの故障、OSの破損、BIOS/UEFIの問題、静電気の可能性も

 パソコンが起動しない場合、他にも考えられる原因があります。以下にいくつかの可能
性を挙げてみます。

1. 電源供給の問題: 電源ユニット（電源装置）が故障している可能性があります。電

図2 提示された解決方法で直らなかったら、さらに追加で質問する。だが、故障を疑われ、大した情報は引き出せなかった。ChatGPTは新BingやBardよりも情報が充実していた

具体的に書くと多くの情報を引き出せるようだ（**図3**）。

症状は具体的に書くこと

　より正確な回答を得るためには、トラブルの症状を具体的に書くのがポイント。例えば「バッテリーが持たない」のように、どの部分に問題を抱えているのかを書くと、「電源設定の見直し」や「バッテリー交換」などの具体的な解決策を提示してくれる（**図4**）。「ハードディスクが認識されない」といった周辺機器のトラブルについて尋ねるのも有効だ（**図5**）。一方、「パソコン

●「Windowsが起動しない」では違う回答が

 Windowsが起動しない

 Windowsが起動しない場合、いくつかの解決策を試すことができます。以下にいくつかの一般的な手順を示します。

　1. 再起動：まず、コンピュータを再起動してみてください。システムの一時的な問題やエラーが解消される場合があります。

　2. セーフモード：Windowsをセーフモードで起動してみてください。セーフモードでは、基本的なドライバやプログラムのみが読み込まれるため、問題の原因が特定できるかもしれません。セーフモードで正常に起動する場合、問題は通常、サードパーティのドライバやソフトウェアに関連しています。

　3. スタートアップ修復：Windowsのスタートアップ修復機能を使用してみてください。これにより、破損したシステムファイルや設定が修復される可能性があります。

　4. ブートローダー修復：システムのブートローダーに問題がある場合、ブートローダー修復が役立つことがあります。WindowsインストールディスクやUSBを使用して、修復オプションを実行してみてください。

　5. システム復元：システムが最近の変更やインストールによって影響を受けた場合、システム復元を試してみることができます。システム復元ポイントを選択して、以前の安定した状態にシステムを戻すことができます。

　6. ハードウェアの問題：起動に問題がある場合、ハードウェアの故障が原因である可能性もあります。ハードディスクやメモリなどのハードウェアが正しく接続されているか、または損傷していないかを確認してください。

　これらの手順を試しても問題が解決しない場合は、専門家に助けを求めることをおすすめします。

図3　質問の「パソコンが起動しない」を「Windowsが起動しない」に変えると、OSのトラブルと判断し、セーフモードでの起動などを勧めてきた（左は回答の全内容）。だが、最終的にパソコンの故障を疑われた

が遅い」といった抽象的な質問に対しては、「ハードウエアが古い」「故障」などと決め付けられて、解決策が乏しかった。

　パソコンの操作手順を尋ねることも、もちろんできる。「Windowsの起動ディスクの作り方」を聞くと、ステップバイステップでわかりやすく教えてくれた（次ページ**図6**）。「パソコンで動画編集がしたい」といった質問にも、必要なアプリや具体的な手順を示してくれる（**図7**）。

　「消えたデータを復元したい」と尋ねると、ごみ箱やバックアップを確認し

▶バッテリーが持たない原因を探る

　ノートパソコンのバッテリーが持たない

> **劣化、充電器、電源設定、バックグラウンドのアプリ、ハードの故障などが疑われます**　

　ノートパソコンのバッテリーが持たないという問題は、いくつかの原因による可能性があります。以下に、一般的な原因とそれに対する対策をいくつか挙げます。

　1. バッテリーの老化: バッテリーが長期間使用されている場合、寿命が尽きている可能性

図4　「ノートパソコンのバッテリーが持たない」と相談すると、原因としてバッテリーの劣化や充電器の問題、Windowsの電源設定やバックグラウンドで動作するアプリなどを挙げて、その対策を丁寧に解説してくれた

●周辺機器のトラブルにも丁寧に回答

　ハードディスクが認識しない

> **接続を確認し、別のパソコンにも接続。デバイスマネージャーやBIOS/UEFIを確認。復元アプリや復旧サービスも**

　ハードディスクが認識されない場合、以下の手順を試してみることができます。

　1. 接続を確認する: ハードディスクが正しく接続されていることを確認してください。必要に

図5　周辺機器のトラブルの相談でも、まずケーブルの接続や故障を疑うが、デバイスマネージャーやBIOS/UEFIの確認および設定変更を促すなど、丁寧な回答が返ってきた

●起動ディスクの作成方法をステップバイステップで

 Windowsの起動ディスクの作り方を知りたい

回答 （前略）
方法1: Windowsメディア作成ツールを使用する
（Windows 10の場合）
1. Microsoftの公式ウェブサイトから「Windows 10 のインストールメディアを作成するツール」をダウンロードしてインストールします。
2. ツールを起動し、ライセンス条件に同意します。
3. 「インストールするメディアを選択します」オプションを選択し、次に進みます。
4. メディアの種類として「USB フラッシュ ドライブ」または「ISO ファイル」を選択します。
5. 必要なオプションを選択して、指示に従って進めます。ツールはWindowsのイメージをダウンロードし、USBフラッシュドライブに書き込むか、ISOファイルを作成します。

方法2: Rufusを使用する
1. Rufusという無料のツールをダウンロードしてインストールします。
（以下略）

図6 Windowsの再インストールに必要な起動ディスクの作り方もステップバイステップで教えてくれた。ただしChatGPTではWindows 7や10の情報が混在して11の情報はなかった

●漠然とした「○○したい」にも回答

 パソコンで動画編集がしたい

回答 （前略）
1. ソフトウェアの選択:
- Adobe Premiere Pro: プロフェッショナルな機能を持つ高機能なソフトウェアです。多くのプロフェッショナルが使用しています。
- Final Cut Pro: （中略）
- Sony Vegas Pro: （中略）

2. 動画のインポート: 選んだソフトウェアを起動し、編集したい動画ファイルをインポートします。

3. タイムライン上で編集: インポートした動画をタイムライン上に配置し、カットやトリミング、エフェクトの追加など、必要な編集を行います。

4. オーディオ編集: 音声のトリミングやミキシング、BGMや効果音の追加など、オーディオの編集も重要です。

5. エフェクトの追加: タイトルやテキストの追加、カラーコレクションや
（以下略）

図7 「パソコンで動画編集をしたい」と尋ねると、主要な動画編集アプリと、一般的な編集の手順を示してくれた。さらに「タイムラインって何?」などと追加の質問をしていこう

たうえで、復元アプリを使うように促す。どのような復元アプリがあるのか聞くと、「Recuva」などの代表的なアプリをピックアップしてくれる（図8）。

　試しに「パソコンをなくした」という質問をしてみると、「徹底的に探す」「紛失を報告する」などの一般的な対処法に加えて、「オンラインで利用するアカウントのパスワードを変更して、不正アクセスを防ぐ」といった、やや専門的なアドバイスもあった（図9）。参考になることは多いはずだ。

●どのアプリを使ったらいいか尋ねる

データ復元アプリを教えて

復元アプリを教えて

データ復元アプリは、さまざまな種類やプラットフォームで利用可能です。以下
元アプリをいくつか紹介しますが、使用する前にデータ復元の目的と状況に応
が重要です。

Recuva、Disk Drill、EaseUS、Stellarなどがあります

1. Recuva（Windows）
　　・ フリーウェアのデータ復元ソフトウェアで、Windows上で動作します。フォー
　　　回復、SDカードやUSBドライブからのデータ復元が可能です。

図8　具体的なアプリの種類を尋ねることも可能。例えばデータ復元アプリでは主要なものを何種類かピックアップして概要を説明してくれた

▶「パソコンをなくした」にも答えてくれる

パソコンをなくした

回答
（前略）
1. 紛失した場所を徹底的に探す（中略）
2. 盗難や紛失を報告する（中略）
3. データのバックアップを確認する（中略）

4. ログイン情報の変更：紛失したパソコンには、個人情報やオンラインアカウントへのログイン情報が保存されている可能性があります。そのため、重要なアカウントのパスワードやセキュリティ情報を変更しましょう。

5. パソコンの遠隔操作や削除：もし紛失したパソコンがモバイルデ（以下略）

図9　徹底的に探す、紛失を報告する、買い替えるといった当たり前の回答のほかに、オンラインのアカウントのパスワードを変更して悪用を防ぐ、遠隔操作対応ならデータを削除できる、といった専門的な回答もあった

05 返信メールも始末書も パワポの構成案も相談できる

面倒な始末書もChatGPTが作成

プロンプト 私は昨日、お客様との面談に遅刻し、お客様が会社に抗議の電話をかけてきました。このため、会社の上司から叱責され、始末書を書くように命じられました。始末書の文面を考えてください。

---

⑨ 【始末書】 `ChatGPT`

私、（お名前）は、このたび私の不注意により、お客様との面談に遅刻し、お客様からの抗議の電話をいただきました。私の行動は会社の信頼を損ない、お客様に不快な思いをさせる結果となりましたことを深く反省しております。 ┃原因は私のミスと交通渋滞…┃

遅刻の原因は、私の時間管理の欠如および交通渋滞によるものであり、これらは私自身の責任であり、申し訳ありません。お客様には大変なご迷惑をおかけし、誠に申し訳ございませんでした。

私は、このような事態が二度と起こらないよう、以下の点について取り組むことを誓います： ┃今後はこう取り組みます┃

1. 時間管理の向上：私は時間を効果的に管理し、予定に遅れることのないように注意します。時間配分や交通事情を考慮し、余裕を持って行動することを心掛けます。
2. コミュニケーションの改善：お客様とのコミュニケーションにおいては、迅速かつ適切に対応することを徹底します。遅刻や変更が生じた場合は、事前に適切な連絡を行い、お客様に不便や迷惑をかけないよう努めます。

図1 ChatGPTにプロンプト（質問）を与えて、始末書を書かせてみた。一般的な始末書の書式にのっとり、トラブルの内容、原因、対策を書いた手堅い仕上がりになった。原因とそれを踏まえた対策はこちらからの指示ではなく、ChatGPTが独自に創作した内容だ

チャットAIは、文章の作成、分析、要約において信じられないような力を発揮する。適切なプロンプトさえ与えれば、例えば数千字のリポートも奇抜な創作物語も、すらすらと書き始める。また、あなたが書いた文章を提示すれば、思いも寄らぬ視点から鋭い批評を展開したり、文章を校正したりしてくれる。長文の資料を与えて要約もできる。ビジネスからプライベートまで、幅広い応用が可能だ。

ChatGPTに代筆を頼む、始末書も丁寧で創造的

　ビジネスで使える実例を紹介しよう。最初に挙げるのは始末書の作成例だ（**図1**）。始末書を書くことはめったになく、しかも気が進まない作業なので時間がかかりがち。そんな**始末書も、必要な情報さえ与えればあっという間にAIが書き上げてくれる。**

　ChatGPTに「お客様との面談に遅刻」「お客様から抗議の電話」という情

▶返信メールの下書きを依頼

プロンプト Prompt	以下のメールに対する返信を考えてください。 条件は以下の通りです。 ##条件 ●内覧会には弊社販売部から大貫と私（田所）の　2名が出席予定 ●懇親会は大貫に所用があるため田所のみが参加 ##元のメール 件名: 新製品内覧会のご案内 日経PC医療販売 田所様 (中略)当社では最新の手術用デバイスを開発し、その成果を皆様にご紹介するため、内覧会を下記の詳細で開催いたします。 (中略)内覧会終了後には、懇親会も予定しております。参加者同士の交流の場として、軽食と飲み物をご用意してお待ちしております(以下略)

図2 ChatGPTに受信メールと返信すべき内容を書いたプロンプトを与えて、返信メールの作成を依頼する。「##条件」のように、見出しで区切って条件などをわかりやすく指定すると効果的だ

報を与えて始末書を書かせてみると、きちんとした書式の始末書がすぐに出力された。「時間管理の欠如および交通渋滞」という遅刻の理由は、ChatGPTの創作。それに合わせて今後の取り組みにも言及している。もし本当に遅刻の理由が交通渋滞なら、そのまま使えそうな出来栄えだ。

社名の取り違えは致命的、確認しないと痛い目を見る

次は、返信メールの作成。**受信したメールを示し、返信に含めるべき内容を箇条書きにしてChatGPTに依頼**した（前ページ図2）。結果は図3の通り。一見すると丁寧で申し分のない文面だが、よく読むと相手と自分の社名を取り違えるという致命的なミスや敬語の誤りがある。送信前に念入りに確認しないと痛い目を見るので注意しよう。

市場調査リポートにも挑戦してみた（図4）。**長文のリポートを書かせる場**

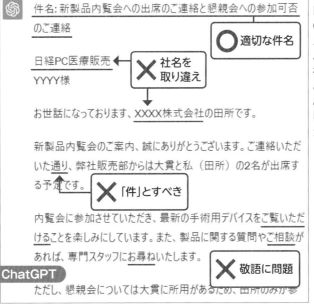

図3 図2のプロンプトに対するChatGPTの回答。返信メールとしては概ねよく書けているが、社名を取り違えるなどの致命的なミスもあった。しっかり確認したうえでの修正が欠かせない

▶市場調査リポートの構成案から作成まで

月額利用料5000円以下のフィットネスジムの市場性について
リポートをまとめるとき、どのような**章構成**が考えられますか。

ChatGPT

月額利用料5000円以下のフィットネスジムの市場性についてのリ
ポートの章構成の一例を以下に示します。

1. 序章:
   - 研究の目的と背景
   - リポートの概要
2. フィットネス業界の現状とトレンド:
   - フィットネス業界の成長と動向

> テーマを基に
> ChatGPTが
> 考えた内容

 序章は不要です。4と5の間に、「投資費用と収益性」という項
目を入れる場合、どのような内容が考えられるか、3つ箇条書きに
してください。

> 「投資費用と収益性」を
> 入れたいんだけど…

投資費用と収益性の項目を考える場合、以下のような内容が考
えられます。

1. 施設および設備の投資費用:
   - ジム施設やトレーニング機器の購入・設置費用
   - インテリアや備品の調達費用

> 実際にリポートを書いて

 上記の構成で、文章で2000字程度のリポートを書いてください。

このリポートでは、月額利用料5000円以下のフィットネスジムの市
場性について調査と分析を行います。近年、健康意識の向上や
ストレス社会の影響により、フィットネス業界の成長率が高まってい
ます。特に都市部では、人々のフィットネスニーズが増加しており、

図4 ChatGPTを
使って市場調査の
リポートを書かせて
みた。イメージ通り
の内容にしたいな
ら、いきなり本文を
書かせないのが得
策。まず章構成を提
案させてそれを修正
する。構成が固まっ
たら、実際にリポート
を書かせよう

合、まずは構成を提案させるのがよい。もし期待した内容でなければ、指示を与えて構成を修正する。**構成が固まったところで実際にリポートの文面を書かせよう**。ただし、文面が細部まですべて正しいとは限らない。構成案の作成だけChatGPTの手を借りるのも悪くない選択肢だ。

次は、PowerPoint（パワポ）でのスライド作成に協力してもらおう。先ほどはリポートの構成案を作らせたが、同様に**スライドの構成案も依頼できる**（図5）。提案された構成案を組み替えたり、もっと具体的に説明させたりすることも可能だ（図6）。さらに、**プレゼン時に話す原稿（トークスクリプト）の作成も頼める**（図7）。内容の正確さや表現の適切さを吟味したうえで、賢く活用したい。

プレゼンのためのスライドを作りたい

 パワーポイントでプレゼン用のスライドを作ります。以下の条件を満たすページの構成案を考えてください。

＃＃条件
・タイトルは「セカンドキャリアの新しい考え方」
・対象は50歳のビジネスパーソン
・10枚のスライドで構成

> パワポのスライドの構成を考えて

ChatGPT

以下は、パワーポイントのプレゼンテーション用スライドの構成案です。この案を基に、具体的な内容を各スライドに追加していくことができます。

スライド1: タイトル

・「セカンドキャリアの新しい考え方」

> テーマを基にChatGPTが考えた内容

スライド2: 自己紹介

図5 ChatGPTはパワポのスライド作成にも利用できる。まずは、テーマを与えて10枚のスライドの構成作りを依頼してみた

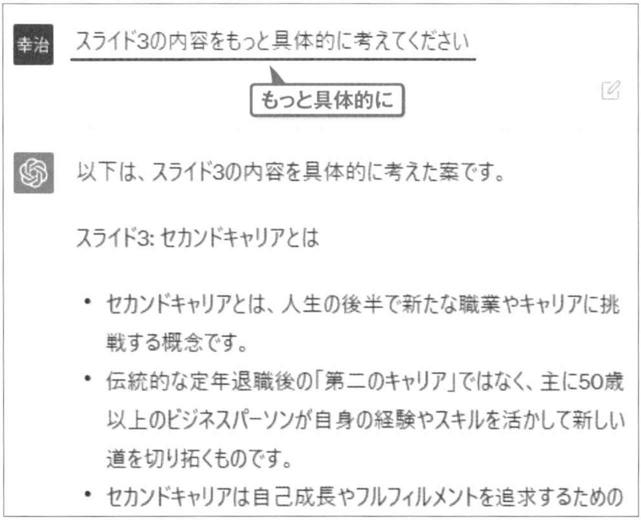

幸治 スライド3の内容をもっと具体的に考えてください

もっと具体的に

以下は、スライド3の内容を具体的に考えた案です。

スライド3: セカンドキャリアとは

- セカンドキャリアとは、人生の後半で新たな職業やキャリアに挑戦する概念です。
- 伝統的な定年退職後の「第二のキャリア」ではなく、主に50歳以上のビジネスパーソンが自身の経験やスキルを活かして新しい道を切り拓くものです。
- セカンドキャリアは自己成長やフルフィルメントを追求するための

図6 内容をイメージしにくいスライドがある場合、「もっと具体的に考えてください」といったプロンプトを与えると、内容をより深められる

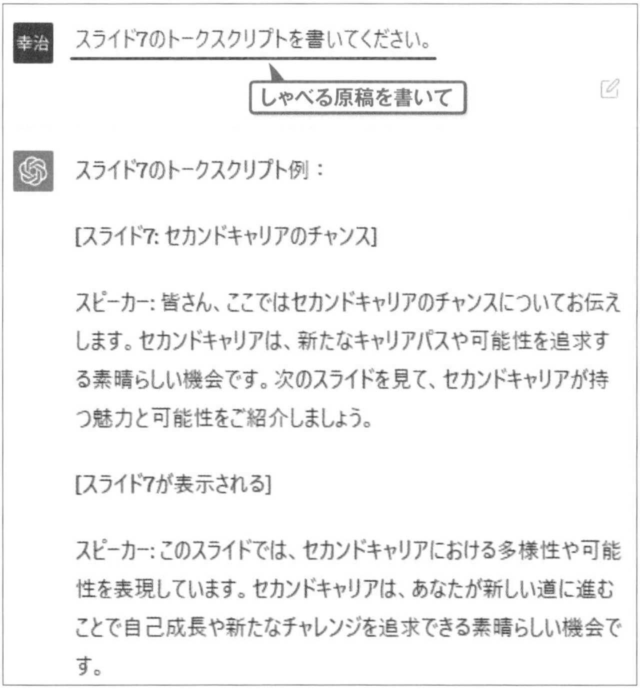

幸治 スライド7のトークスクリプトを書いてください。

しゃべる原稿を書いて

スライド7のトークスクリプト例：

[スライド7: セカンドキャリアのチャンス]

スピーカー: 皆さん、ここではセカンドキャリアのチャンスについてお伝えします。セカンドキャリアは、新たなキャリアパスや可能性を追求する素晴らしい機会です。次のスライドを見て、セカンドキャリアが持つ魅力と可能性をご紹介しましょう。

[スライド7が表示される]

スピーカー: このスライドでは、セカンドキャリアにおける多様性や可能性を表現しています。セカンドキャリアは、あなたが新しい道に進むことで自己成長や新たなチャレンジを追求できる素晴らしい機会です。

図7 「トークスクリプトを書いてください」というプロンプトを与えると、プレゼンで実際にしゃべる原稿を作ってくれる

チャットAIで出力できるのは文章だけではない。表も出力できる。図8は
Bardでダミーのワインリストを表として作成した例。プレゼン資料などに、イ
メージとして表のサンプルを入れたいときなどに便利だ。結果はExcelなど
にコピペして使おう。

子供が苦戦する読書感想文を家庭教師のように支援

プライベートでの活用例も紹介する。子供の宿題として、どの家庭でも難
儀するのが読書感想文。それをChatGPTに手伝わせたい。とはいっても、
AIに読書感想文を書かせようという話ではない。**ChatGPTに、子供が読書
感想文を書くための手助けをさせる**のだ。

それには、「あなたは学校の先生です」などと指定して、AIに先生の役割
を演じてもらう。**図9**のようなプロンプトを与えると、読んだ本やその内容に
ついてChatGPTから質問をしてくる。それに答えると、さらにいくつかの質

ダミーのワインリストを表形式で作って

図8 社内向け資料
を作るときなどにダ
ミーのデータが必要
なことがある。Bard
にプロンプトを与え
て、ワインリストの表
を作らせてみた。出
力された表をドラッ
グして右クリックし、
「コピー」を選択する
と、Excelなどに貼り
付けられる

▶子供が読書感想文を書くのを手伝って

 幸治 あなたは学校の先生、私は小学3年生です。私が読書感想文の構成を考えるのを手伝います。私に質問を繰り返し、構成を提案します。

ChatGPT

> 読書感想文を手伝って。
> 必要なことを逆に質問して

 もちろんです！読書感想文の構成について手伝います。まず最初に、どの本について感想文を書く予定ですか？また、その本について少し教えていただけますか？

> **基本的な質問から開始**

 幸治 私が読んだのは「ルドルフとイッパイアッテナ」という本です。ルドルフというネコが主人公です。イッパイアッテナは大きなネコです。ルドルフが魚屋さんに追いかけられてトラックに乗り込んで東京にきて、イッパイアッテナに出会います。

> **やる気を出させる感想**

 素晴らしいです！「ルドルフとイッパイアッテナ」は興味深いお話のようですね。感想文の構成を提案するために、いくつか質問をいただきます。

> 5つの質問を用意して、
> どれから答えるか問いかけ

> 1. この本で一番印象に残った場面は何ですか？なぜそれが印象に残ったのでしょうか？
> 2. 主人公のルドルフやイッパイアッテナの性格や特徴について教えてください。
> 3. この本からどのような教訓やメッセージを受け取りましたか？
> 4. 自分がこの本を読んで感じた気持ちや思いは何ですか？

 幸治 2．から答えます。ルドルフはとても素直な性格です。小さな黒ねこです。やさしくて友だち思いだと思います。イッパイアッテナは大きなねこで、けんかもするけど、やさしいです。なんと人間の字を読み書きできます。いろんなところで、人間にえさをもらったりしています。

図9 ChatGPTに小学生が読書感想文を書くのを支援するためのプロンプトを与えた［注1］。すると、ChatGPTが基本的な質問をし、小学生がそれに答えるという形で会話が進み、小学生がその本に対して抱いた感想を明確にする手助けをしてくれた。親子で一緒に取り組むのがお勧めだ

［注1］ChatGPTの利用対象は13歳以上（18歳未満の場合は保護者の同意が必要）。文部科学省が公表した「初等中等教育段階における生成AIの利用に関する暫定的なガイドライン」も参考にしたい

問をしてきて、やり取りが延々と続く。ChatGPTから「素晴らしい考えです！」「感動的な場面ですね」などと言われると、やる気も出る。

　プロンプトの末尾には「構成を提案します」と入れたが、構成が提案されることはなかった。その代わり、ChatGPTからの質問に答えることで、こちらがその本についてどのような感想を持ったのかが明確になった。つまり、読書感想文を代筆してもらうのではなく、こちらの感想をまとめる作業を支援してもらうのだ。

▶ 自分が書いたリポートの批評を依頼

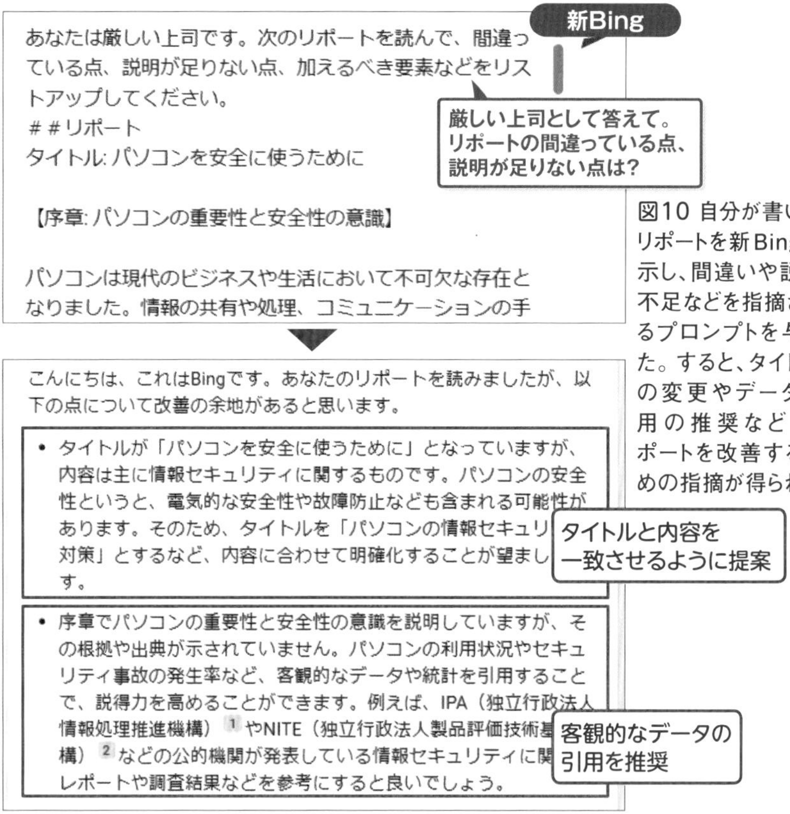

> 新Bing
>
> あなたは厳しい上司です。次のリポートを読んで、間違っている点、説明が足りない点、加えるべき要素などをリストアップしてください。
> ＃＃リポート
> タイトル: パソコンを安全に使うために
>
> 【序章: パソコンの重要性と安全性の意識】
>
> パソコンは現代のビジネスや生活において不可欠な存在となりました。情報の共有や処理、コミュニケーションの手

厳しい上司として答えて。リポートの間違っている点、説明が足りない点は？

図10 自分が書いたリポートを新Bingに示し、間違いや説明不足などを指摘させるプロンプトを与えた。すると、タイトルの変更やデータ引用の推奨など、リポートを改善するための指摘が得られた

> こんにちは、これはBingです。あなたのリポートを読みましたが、以下の点について改善の余地があると思います。
>
> ・ タイトルが「パソコンを安全に使うために」となっていますが、内容は主に情報セキュリティに関するものです。パソコンの安全性というと、電気的な安全性や故障防止なども含まれる可能性があります。そのため、タイトルを「パソコンの情報セキュリティ対策」とするなど、内容に合わせて明確化することが望ましいです。
>
> ・ 序章でパソコンの重要性と安全性の意識を説明していますが、その根拠や出典が示されていません。パソコンの利用状況やセキュリティ事故の発生率など、客観的なデータや統計を引用することで、説得力を高めることができます。例えば、IPA（独立行政法人情報処理推進機構）[1] やNITE（独立行政法人製品評価技術基盤機構）[2] などの公的機関が発表している情報セキュリティに関するレポートや調査結果などを参考にすると良いでしょう。

タイトルと内容を一致させるように提案

客観的なデータの引用を推奨

ここまでは文章や構成を考えさせる例を見てきたが、**自分が書いた文章の分析にもチャットAIを活用できる**。図10は自分が書いたリポートを批評させた例。ハッとするような厳しい指摘をしたのは新Bingだ。会話スタイルを「より創造的に」に設定して評価を依頼した。「タイトルを中身に合わせてもっと明確にすべき」「客観的なデータを引用すべき」など、まるで"厳しい上司"のような指摘が並んだ。

第三者の視点で自分が書いた文章をチェック

もっと単純な文章校正に使うこともできる。**図11**は、新Bingで会話スタイルを「よりバランスよく」に設定し、文章の校正を依頼した例。誤字、冗長な表現、ばらばらの表記、わかりにくい表現などが指摘された。

社外向けの発表資料を示して、**記者や顧客などからの想定質問を用意**

▶自分が書いた文章を校正してほしい

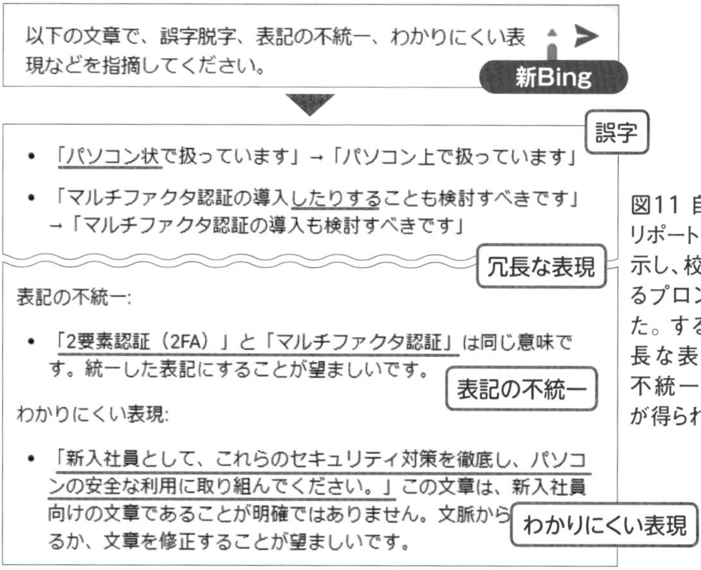

以下の文章で、誤字脱字、表記の不統一、わかりにくい表現などを指摘してください。

新Bing

- 「パソコン状で扱っています」→「パソコン上で扱っています」 **誤字**
- 「マルチファクタ認証の導入したりすることも検討すべきです」
  →「マルチファクタ認証の導入も検討すべきです」 **冗長な表現**

表記の不統一:

- 「2要素認証（2FA）」と「マルチファクタ認証」は同じ意味です。統一した表記にすることが望ましいです。 **表記の不統一**

わかりにくい表現:

- 「新入社員として、これらのセキュリティ対策を徹底し、パソコンの安全な利用に取り組んでください。」この文章は、新入社員向けの文章であることが明確ではありません。文脈から〇〇か、文章を修正することが望ましいです。 **わかりにくい表現**

図11 自分が書いたリポートを新Bingに示し、校正を依頼するプロンプトを与えた。すると誤字、冗長な表現、表記の不統一などの指摘が得られた

記者発表の想定質問が欲しい

幸治　あなたは腕利きの記者です。次の発表文を読んで厳しい質問を10個考えてください。

記者として厳しい質問を!

＃＃発表文
日経衣料は、暑い季節に快適さとスタイルを両立させる新製品「涼しい帽子」を2023年7月24日に発売することをお知らせいたし

 以下は、発表文に対する厳しい質問の一例です：

ChatGPT

1. 特殊繊維による涼しさの効果について、具体的な数値や詳細な科学的根拠はありますか？

2. 「涼しい帽子」の繊維は、耐久性や耐洗濯性においてどのような性能を持っていますか？

3. 「涼しい帽子」は、どのような環境下で効果的なのでしょうか？例えば、高温多湿な地域や直射日光の下でも効果があるのでしょうか？

図12 ChatGPTに「涼しい帽子」という架空の商品の発表文を与え、記者からの厳しい質問を10個考えるように依頼した。すると、涼しさの科学的根拠、耐久性などについて鋭い質問が提示された

「博士」と「生徒」の会話形式でリライト

次の文章を「博士」と「生徒」の会話形式に書き換えてください。
「仮想プライベートネットワーク（VPN）は、インターネット上でセキュアな通信を実現するための仕組みです。VPNはデータの暗号化やト

博士：こんにちは、今日はVPNについて話しましょう。仮想プライベートネットワーク（VPN）は、インターネット上でセキュアな通信を実現するための仕組みです。

ChatGPT

生徒：ああ、VPNっていうのはよく聞くけど、具体的にどういうことなんですか？

会話形式での説明になった

博士：VPNはデータの暗号化やトンネリング技術を使用してプライバシーとセキュリティを確保します。つまり、通信しているデータを暗号化して保護し、安全に送受信することができるんです。

図13 ChatGPTにIT用語の説明文を与えて、会話形式に書き直すように依頼した。「博士」と「生徒」の会話と指定することで、やさしい読み物として用語を学べるような文章に仕上がる

させることもできる。図12は「涼しい帽子」という架空の新商品の発表文を示し、「記者として厳しい質問を10個考えてください」と聞いた結果だ。「科学的な根拠はありますか」「耐久性や耐洗濯性は?」「どのような環境下で効果的?」など、辛口の質問が並んだ。

　自分が書いた文章のリライトにもチャットAIは使える。対象とする読者層に合わせてリポートを書き直すケースもしばしばあるが、そんなリライトも一瞬で終了する。

　図13では、IT用語の説明文をわかりやすくするため、「次の文章を『博士』と『生徒』の会話形式に書き換えてください」と指示してみた。これだけで、

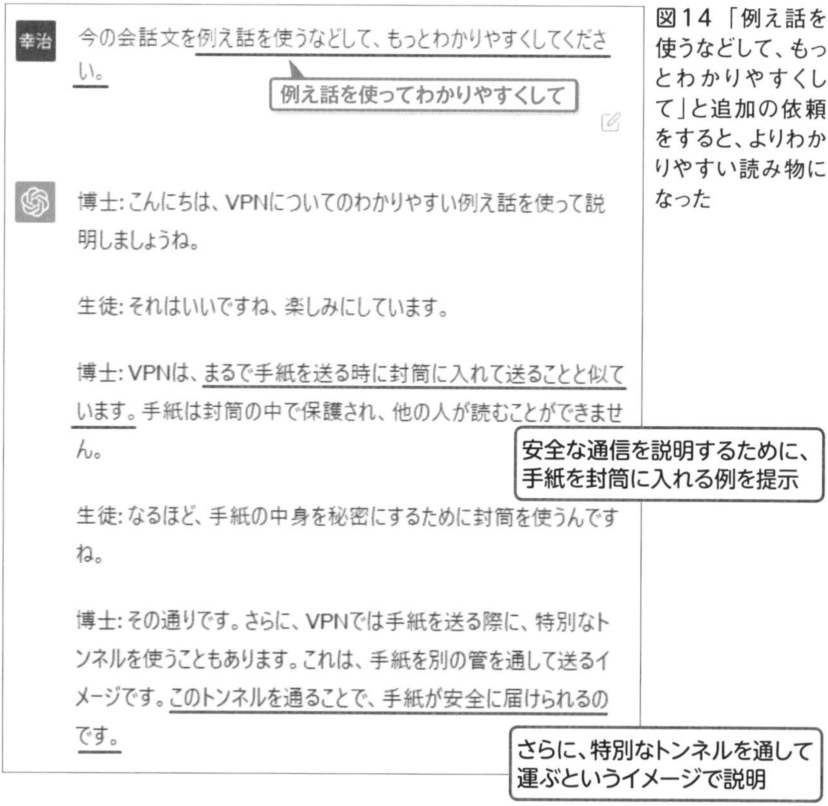

 今の会話文を例え話を使うなどして、もっとわかりやすくしてください。

例え話を使ってわかりやすくして

 博士: こんにちは、VPNについてのわかりやすい例え話を使って説明しましょうね。

生徒: それはいいですね、楽しみにしています。

博士: VPNは、まるで手紙を送る時に封筒に入れて送ることと似ています。手紙は封筒の中で保護され、他の人が読むことができません。

安全な通信を説明するために、手紙を封筒に入れる例を提示

生徒: なるほど、手紙の中身を秘密にするために封筒を使うんですね。

博士: その通りです。さらに、VPNでは手紙を送る際に、特別なトンネルを使うこともあります。これは、手紙を別の管を通して送るイメージです。このトンネルを通ることで、手紙が安全に届けられるのです。

さらに、特別なトンネルを通して運ぶというイメージで説明

図14 「例え話を使うなどして、もっとわかりやすくして」と追加の依頼をすると、よりわかりやすい読み物になった

あっという間に会話形式にリライトされたのは驚きだ。ただ、それだけでは十分にわかりやすくはならなかったので、「例え話を使うなどして」と追加で指示したところ比喩が多くなり、かみ砕いた表現になった（前ページ図14）。

記事や資料の要約を依頼、EdgeはPDFにも対応

　文章の要約もチャットAIは得意。プロンプトに文章を貼り付けて、「この文章を要約して」と頼めばよい。要約に関してぜひ紹介したいのは、新Bingだ。Edgeのサイドバーで、表示中のウェブページを要約できる（図15）。

　さらに、Edgeを使えばPDFの要約も可能だ。というのも、EdgeはPDFの表示にも対応しており、ウェブページ上のPDFだけでなく、パソコン内の

▶ネットの記事を要約して

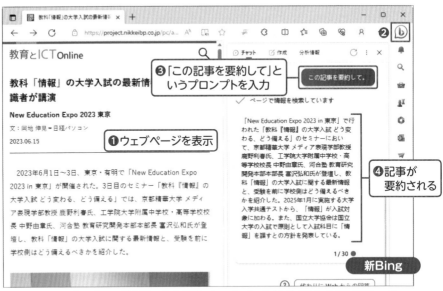

図15 Edgeでウェブページを開いたら（❶）、ツールバー右端のボタンを押してBingチャットの画面を開く（❷）。Bingチャットに「この記事を要約して」と指示すると、そのページの要約が表示される（❸❹）

［注2］会話のスタイルが「よりバランスよく」では2000文字、それ以外のスタイルは4000文字が上限とされている

PDFも表示できる。ファイルをEdgeの画面内にドラッグするとPDFが開くので、サイドバーのBingチャットで、「このPDFを要約して」と頼もう（図16、図17）。すると、そのPDFを要約してくれる。プロンプトに文章をコピペする方法では4000文字[注2]を超える文章は送信できないが、PDFの場合はより長い文章でも対応してくれる点はありがたい[注3]。長文にわたる資料の概要を短時間で把握したいときなどに役立つ。

▶ PDFの資料も要約できる

図16 EdgeのウインドウにPDFファイルをドラッグ・アンド・ドロップすると、Edgeでその PDFを開ける

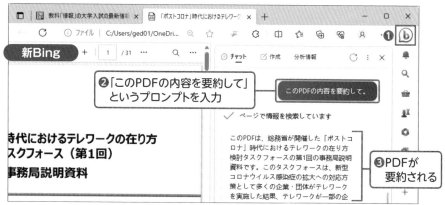

図17 PDFが開いたら、ツールバー右端のボタンでBingチャットの画面を開き（❶）、「このPDFの内容を要約して」と頼む（❷）。すると、開いているPDFの内容を読み取り、要約を表示してくれる（❸）

[注3]編集部で試したところ、300ページを超える書籍のPDFにも対応したが、全体を複数のパートに分割して個々に要約する形になった

ビジネスのアイデアや
キャッチコピーもおまかせ

Section **06**

　いいアイデアが思い浮かばなくて困ったときは、気軽にチャットAIに相談してみよう。自由な発想によるアイデア出しは得意とするところだ。

　まずは言葉遊びから。「大谷翔平を四字熟語で形容して」というお題を新Bing、Bard、ChatGPTの3つに与えてみた。そつがない答えを返したのは新Bing。「一世風靡」という言葉を挙げ、その理由を説明した。Bardは「二刀流の怪物」。四字熟語ではないが、納得できる説明だ。

自由な発想でキャッチコピーを生成

プロンプト *Prompt* ▶ 大谷翔平を四字熟語で形容して

▼

大谷翔平は、メジャーリーグで二刀流のスーパースターとして活躍していますね。彼を四文字熟語で形容するなら、私は一世風靡という言葉がぴったりだと思います。 **1** **2**

> 社会的影響に目を向けた選択

一世風靡とは、一時期に大流行せることを意味します。大谷翔も打者としても圧倒的な成績をはベーブ・ルース以来の二刀流した。 **3** 今季は、両リーグトッち、6勝3敗という好成績をマー

新Bing

> 四字熟語ではないが、一般的なイメージ

　　大谷翔平選手を四字熟語で形容するなら、「二刀流の怪物」がぴったりだと思います。野球の二刀流として、投手として、そして野手として、どちらもトップレベルの活躍を見せています。また、彼は常に向上心を持って練習に励んでおり、その努力が実を結んでい

Bard 　今後も、大谷翔平選手の活躍から目が離せません。

振るっていたのはChatGPT。「万能逸材」「颯爽登場」のように狭義では四字熟語とはいえないものから、「技破」というオリジナルの言葉まで発明して形容を試みた（**図1**）。アイデア出しでは斬新な発想が必要なこともある。こうした奔放さはむしろ歓迎だ。

新製品のキャッチコピーを考えさせる

こうした能力は、ビジネスにも大いに活用できる。例えば、**商品の広告や営業資料に記載するキャッチコピーをチャットAIに考えさせてみよう。**

今回は扇風機の新製品を売るためのキャッチコピーを依頼した。ターゲットは「20～30歳代の女性」、文字数は「20文字以内」などと条件を設定し、「##特徴」という見出しを付けて、製品の特徴を箇条書きした。その結果、

大谷翔平を四文字熟語で形容すると以下のような表現が考えられます：

ChatGPT

1. 万能逸材 （ばんのういつざい）：彼は野球の投手と打者の両方で優れた才能を持ち、多くの面で優れていることを表現します。

2. 技破天下 （ぎはてんか）：彼の卓越した技術と天賦の才能は、他の選手を圧倒し、トップの地位を獲得していることを表現します。

3. 颯爽登場 （さっそうとうじょう）：彼のプレースタイルは迅速で派手であり、見る者を魅了します。

4. 驚異的存在 （きょういてきそんざい）：彼の成績やプレースタイルは驚くべきものであり、他の選手とは一線を画して存在感を示しています。

辞書にあるような四字熟語ではなく、四字ですらないものもあるが、創作性は高い　プレースタイルを簡潔に表現するものです。ただし、四文字熟語は一つの意味を持つ言葉ではなく、文脈によって

図1 「大谷翔平を四字熟語で形容して」というプロンプトを新Bing、Bard、ChatGPTに与えてみた。新Bingは「一世風靡」という優等生的な回答だったが、ほか2つが興味深かった。とりわけChatGPTは「技破」という辞書にない言葉まで編み出して形容を試みた。なかなか創造的だ

「1/fゆらぎの風で、心地よく涼しく」などと、それなりのキャッチコピーを生成できたのはBardだ（**図2**）。

　ビジネスのアイデア探しにも使うことができる。裏原宿にある路面店で収益が上がりそうなビジネスのアイデアを依頼した例が**図3**。「ファッションブティック」「コスメショップ」「イベントスペース」など、検討の余地がありそうなアイデアと説明が出てきた。

成功した営業マンにどんな質問をしたらいい？

　図4の例では、セミナーの質疑応答で登壇者に尋ねるべき質問項目を提

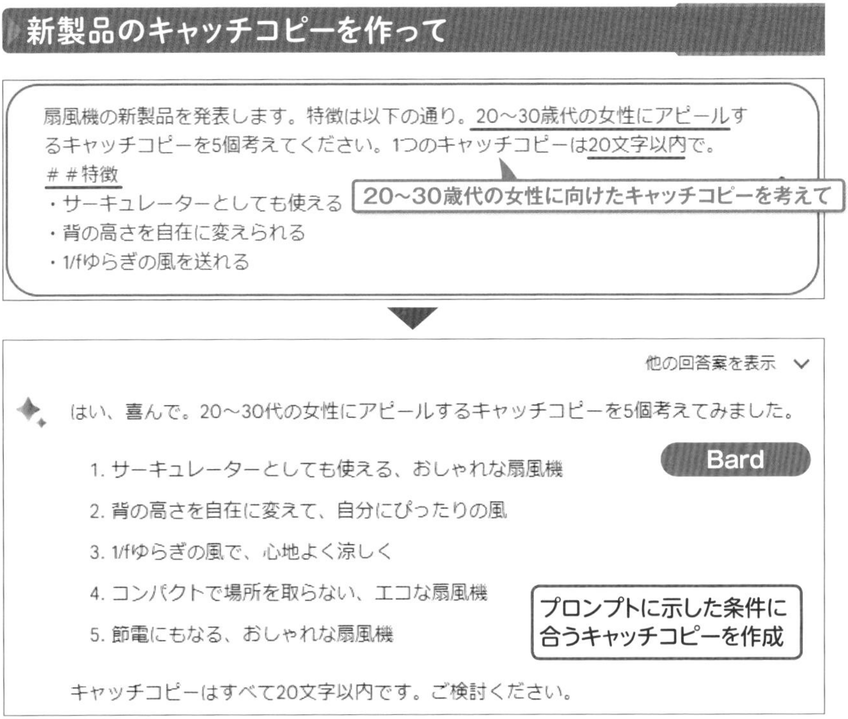

新製品のキャッチコピーを作って

扇風機の新製品を発表します。特徴は以下の通り。20～30歳代の女性にアピールするキャッチコピーを5個考えてください。1つのキャッチコピーは20文字以内で。
＃＃特徴
・サーキュレーターとしても使える
・背の高さを自在に変えられる
・1/fゆらぎの風を送れる

> 20～30歳代の女性に向けたキャッチコピーを考えて

他の回答案を表示　∨

はい、喜んで。20～30代の女性にアピールするキャッチコピーを5個考えてみました。

1. サーキュレーターとしても使える、おしゃれな扇風機　　**Bard**

2. 背の高さを自在に変えて、自分にぴったりの風

3. 1/fゆらぎの風で、心地よく涼しく

4. コンパクトで場所を取らない、エコな扇風機

5. 節電にもなる、おしゃれな扇風機

> プロンプトに示した条件に合うキャッチコピーを作成

キャッチコピーはすべて20文字以内です。ご検討ください。

図2「20～30歳代の女性にアピール」「20文字以内」という条件を付けて新製品のキャッチコピーを依頼したところ、優秀な結果を出したのはBardだった

何か面白い新店舗のアイデアはない？

裏原宿に路面店の物件があります。面積は150平米です。収益が
上がりそうなビジネスのアイデアを5個挙げてください。

> もうかりそうなものを…

 裏原宿にある路面店の物件で収益が上がりそうなビジネスのアイデアを
以下に挙げます。

ChatGPT

1. ファッションブティック: 裏原宿は若者やファッションに敏感な人々が
   集まるエリアです。独自のセレクトアイテムやトレンドを取り入れたファ
   ッションブティックを展開することで、需要の高い市場にアピールでき
   ます。

5. クラフトビールバー: 最近はクラフトビールの人気が高まっています。裏
   原宿にクラフトビールバーをオープンすることで、地元のビール愛好家
   や観光客を惹きつけることができます。ここで独自のビールやフードメニ
   ューを提供することで、差別化を図ることができます。

> ビジネスの
> アイデアを提案

図3 アイデア出しに行き詰まったら、チャットAIに聞いてみよう。意外なアイデアが出てくることもあるし、回答をきっかけに別のアイデアを自分で思い付くこともある

営業の達人への質問項目を提案して

セミナーで営業の達人のお話を聞きます。質疑応答で尋ねるべき質問
項目を箇条書きで提案してください。意外な質問を希望します。

> 相手は営業の達人です

 以下は営業の達人に対しての質疑応答で尋ねるべき質問項目の提案で
す。 **仕事のさまざまな局面における質問を提案**

ChatGPT

1. どのようなマインドセットやアプローチが成功した営業パーソンに共通して
   見られますか？
2. 営業において、最も効果的なネゴシエーションのテクニックは何ですか？
3. 新規顧客の獲得において、特に難しいと感じる状況や障害はあります
   か？それらを克服するためのアドバイスはありますか？
4. 営業プロセスにおいて、顧客との信頼関係を築くために重要な要素は
   何ですか？
5. 意欲的な営業チームを作るためには、どのようなリーダーシップスタイルが
   効果的ですか？
6. クロージングの段階で顧客との信頼関係を損なわずに契約を締結する

図4 ChatGPTにセミナーの登壇者に尋ねるべき質問を提案させた。相手は"営業の達人"という設定だが、営業のマインドセット、交渉テクニック、顧客との信頼関係を築く方法など、実務的な質問が多く挙がった

案させた。登壇者は"営業の達人"という設定にしたが、「成功した営業パーソンに共通するマインドセットは?」「効果的なネゴシエーションのテクニックは?」など、そのまま使えそうな質問項目が列挙された。

親しい友人に相談を持ちかけるように、会話をしながらアイデアを引き出すやり方もある。図5は忘年会の出し物をChatGPTに聞いた例。ChatGPTは、前向きな姿勢で新しいアイデアを提供するので相談しやすい。

最初に提示されたアイデアからクイズ大会を選び、「どんな形式で、どんな質問を用意すると盛り上がるか」と追加で質問すると、クイズの形式から実際に出題するクイズまで、とんとん拍子に話が進んだ（**図6**）。

イベントの出し物を会話しながら相談

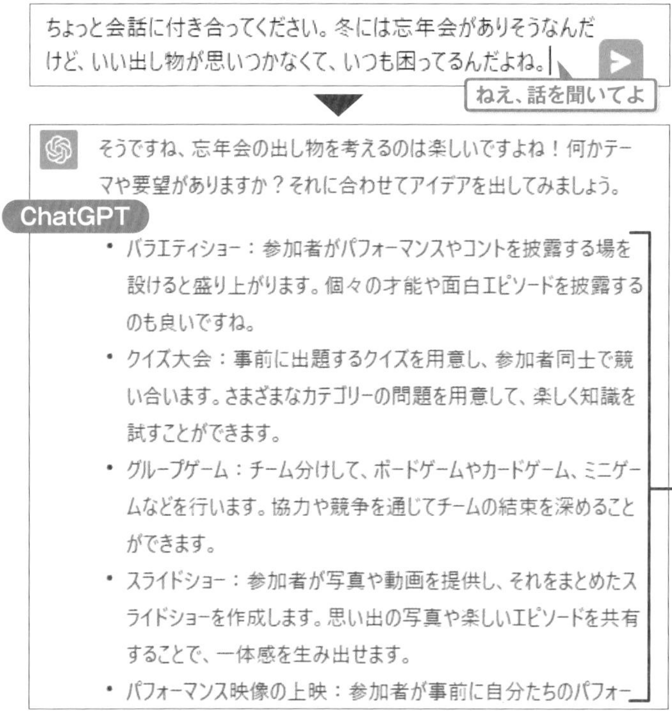

ちょっと会話に付き合ってください。冬には忘年会がありそうなんだけど、いい出し物が思いつかなくて、いつも困ってるんだよね。

ねえ、話を聞いてよ

ChatGPT

そうですね、忘年会の出し物を考えるのは楽しいですよね！何かテーマや要望がありますか？それに合わせてアイデアを出してみましょう。

- バラエティショー：参加者がパフォーマンスやコントを披露する場を設けると盛り上がります。個々の才能や面白エピソードを披露するのも良いですね。
- クイズ大会：事前に出題するクイズを用意し、参加者同士で競い合います。さまざまなカテゴリーの問題を用意して、楽しく知識を試すことができます。
- グループゲーム：チーム分けして、ボードゲームやカードゲーム、ミニゲームなどを行います。協力や競争を通じてチームの結束を深めることができます。
- スライドショー：参加者が写真や動画を提供し、それをまとめたスライドショーを作成します。思い出の写真や楽しいエピソードを共有することで、一体感を生み出せます。
- パフォーマンス映像の上映：参加者が事前に自分たちのパフォー

いくつかの
アイデアを提案

図5 苦手なことや気が進まないことは、会話形式で気軽にChatGPTに相談しよう。ここでは忘年会の出し物で困っているという設定で会話してみた。すると、バラエティーショーやクイズ大会、グループゲームなど、複数のアイデアを列挙してくれた

クイズ大会はおもしろそう。どんな形式で、どんな質問を用意すると盛り上がるかな？

クイズ大会なら、どんな質問がいい？

クイズ大会は確かに盛り上がりやすいですね！以下にいくつかの形式や質問のアイデアを挙げてみます。

形式：

1. 個人戦：各参加者が個別に回答し、正解数で順位を競います。
2. チーム戦：参加者を複数のチームに分けて、チームごとに回答し、正解数でチームの順位を競います。

形式を提案

質問のアイデア：

1. 一般知識：歴史、地理、科学、スポーツ、エンターテイメントなど、幅広いカテゴリーの問題を用意します。
2. ファンクイズ：参加者が共通の趣味や興味を持つテーマに関する問題を出します。例えば、映画、音楽、アニメ、スポーツチームなどです。

質問の
アイデアを提案

幸治 チーム戦はいいですね。ところで、ファンクイズではロサンゼルス・エンゼルスの問題を出したいと思います。クイズを5つ考えてくれますか。

クイズを5つ考えて

もちろんです！以下にロサンゼルス・エンゼルスに関する5つのファンクイズの問題を用意しました。参加者がチームごとに協力して回答すると盛り上がります。

1. ロサンゼルス・エンゼルスの本拠地球場は何ですか？
2. ロサンゼルス・エンゼルスが所属しているメジャーリーグベースボール（MLB）のリーグはどれですか？
3. ロサンゼルス・エンゼルスのチームカラーは何ですか？
4. ロサンゼルス・エンゼルスの球団創設年はいつですか？

クイズを提案

図6 クイズ大会をやることにして、その形式や質問について追加で尋ねると、チーム戦にすることや出題するクイズの具体例まで、次々と提案してくれた

第2章 チャットAI実践活用術

Section 07 英語ができる秘書、あるいは語学教師になってもらう

　チャットAIは言語の壁を軽々と飛び越える。英語が苦手で外国人とのやり取りは無理と考えていた人も、チャットAIを使えばもう心配はいらない。**受け取った英語の文章を日本語に翻訳させることはもちろん、自分の文章を適切な英語に翻訳してもらうことも簡単にできる。**

　また、外国語を学習している人にとっては、日本語もできる外国人教師を雇ったようなもの。学習の質が劇的に変化する可能性がある。

英語でクレームのメールを書いてもらう

プロンプト 英語で次の内容を含むメールを書いてください。
##
2023年5月10日に注文したSSDがまだ届かない。いつ届くのか。届かないならキャンセルしたい。その場合、どのように返金されるのか

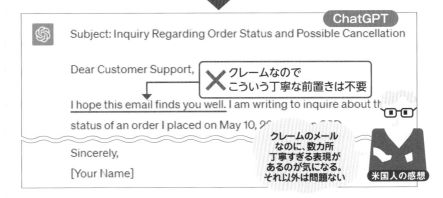

ChatGPT

Subject: Inquiry Regarding Order Status and Possible Cancellation

Dear Customer Support,

クレームなので
こういう丁寧な前置きは不要

I hope this email finds you well. I am writing to inquire about the status of an order I placed on May 10, 20   SSD

Sincerely,

[Your Name]

クレームのメールなのに、数カ所丁寧すぎる表現があるのが気になる。それ以外は問題ない

米国人の感想

クレームのメールを英語で書いてもらう

　まず取り上げるのは、クレームメールの作成だ。**プロンプトは「英語で次の内容を含むメールを書いてください」と日本語で指示した**（図1）。

　最も長いメールを書いたのはChatGPT。丁寧に書かれたメールだが、米国人に読んでもらうとクレームのメールとしては丁寧すぎる表現があるとのこと。一方、新Bingは用件が簡潔に伝わり、とても良いという評価だった。いずれにしても日本語で内容を指示するだけで、しっかりした英文メールが書けるのは画期的だ。

　チャットAIを使うと、海外のウェブサイトからの情報収集も楽になる。**Edgeで英文のページを表示したら、Bingチャットを開いて「この記事を日**

新Bing

もちろんです。以下の英語のメールを参考にしてください。

Subject: Inquiry about my SSD order

Dear Amazon Customer Service,

I am writing to inquire about my SSD order that I placed on May 10th, 2023. I have not received it yet and I would like to know when it will be delivered. If it is not possible to deliver it, I would like to cancel the order and receive a refund. Could you please let me know how the refund process works?

Thank you for your help.

Sincerely,

米国人の感想

用件が
簡潔に伝わり、
とても良い

図1　注文した商品が届かないというクレームのメールを英語で書かせるプロンプトをChatGPTと新Bingに与えてみた。ChatGPTは長いメールを生成してくれたが、米国人にチェックしてもらうと、丁寧すぎて気になる表現が数か所あるとのこと。新Bingは短文だったが、米国人の評価は高かった

91

本語で要約して」と指示すれば、すぐに要約が表示される（図2）。最近のブラウザーは、ウェブページの翻訳機能を備えるが、Bing チャットなら要約までしてくれるのが利点だ。もちろん、「この記事を日本語に翻訳して」と指示すれば、全文の翻訳も可能だ。

「書いて」「要約して」から「単語の意味」や「添削して」も

チャットAIを使うと、外国語の学習方法も大きく変わる。例えば、類義語の使い分けは辞書を引いてもよくわからないことが多い。そこで、チャットAIに「どう使い分けるの？」と尋ねてみよう（図3）。日本語でその違いを説明

外国語の記事を日本語で要約させる

図2 Edgeで英語のウェブサイトにアクセスし、Bingチャットの画面を開いて「この記事を日本語で要約して」と入力すると、日本語で要約される。中国語、スペイン語、フランス語などにも対応している

類義語の使い分けやニュアンスの違いを説明

「畑」を和英辞書で引くとupland field、field、plowed field、farmと
出てきた。どう使い分けるの？

> 4つの言い方、どう違う？

 「畑」の和英辞書での複数の意味を使い分ける方法を説明します。

ChatGPT

1. Upland field（高原の畑）：「畑」が山岳地帯や高原地域にあ
る場合に使われます。特定の地理的な条件を持つ場所での農
業に関連します。

> 類義語の使い分けを日本語で説明

2. Field（広い畑）：「畑」の一般的な意味で、広い範囲の農地
を指します。特定の地理的な制約や形状に関係なく使用されま

図3 英語の類義語
の使い分けをChat
GPTに聞いてみた。
日本語で説明され、
例文まで示された。
これなら使い分けに
迷うことはない

自分で書いた英文を添削してもらう

以下は今日の日記です。<u>ネイティブスピーカーが書いたように
書き直してください</u>。その後で、1文ずつ書き直す前と書き直し
た後の文章を並べて、書き直した理由を教えてください。書き
直した理由は日本語で教えてください

ChatGPT

\# \#

Today, I went out for mountain climbing with my
friends. We went to Mount Takao that is located in the
western part of Tokyo. It is famous for the fact that it

 Today, I went mountain climbing with my friends. We
visited Mount Takao, located in the western pa

書き直した理由：

> 文法の指摘は
> 的確。表現は
> フォーマルな
> 方向に書き換える
> 傾向がある

英国人の感想

1. "went out for mountain climbing" を "went mountain
climbing" に変更しました。- "go mountain climbing" が一
般的な表現です。

> この指摘は的確

2. "We went to Mount Takao that is located in the western
part of Tokyo" を "We visited Mount Takao, located in

図4 ChatGPTは自
分で書いた英文の
添削にも使える。こ
のプロンプトではや
やフォーマルな表現
に直された。格式張
らない表現を覚えた
いならプロンプトに
「カジュアルな表現
でかまいません」と
加えておこう

し、例文まで示してくれる。

　実践的な英語力を上げるには、お仕着せの英作文問題ではなく、自分が仕事で実際に使う英文を作るのが一番。しかし、それが正しい表現かどうかわからないのが難点だ。そんなときは、**ChatGPTに添削を依頼しよう**。悪いところを書き直して、その理由まで説明してくれる（前ページ**図4**）。

　ChatGPTを英会話学習のパートナーに仕立てることもできる。**AIに「入国審査官」「レストランの店員」といった役割を与えれば、海外旅行を念頭に置いたロールプレイも可能だ**（**図5**）。106ページで紹介するスマホアプリを使えば、文字入力ではなく音声での入力を試すこともできる。

英会話のパートナーになって

あなたは入国審査官です。私は空港に着いた観光客です。
＃＃
あなたは私に英語で質問を１つします。
私の回答を聞いて、さらに質問を続けます
1回の発言は50ワード以内にしてください。|

> あなたは入国審査官。私は観光客

入国審査官: Welcome to our country! How long will you be staying here?
> 滞在は何日？

幸治　I'm gonna stay for two weeks.

入国審査官: Thank you for the information. What is the purpose of your visit?
> 目的は？

幸治　sightseeing.

`ChatGPT`

図5 ChatGPTに入国審査官という役割を与え、会話表現の練習をしてみた。ChatGPTの発言が長くなりすぎないように、発言のワード数に制限を与えたら、テンポ良く会話できた

自然言語処理を活用し、超面倒な作業を自動化する

　自然言語処理はチャットAIの真骨頂。**大量の資料を調べて情報を抜き出す作業や、文章を1つずつ読み解いて内容を判断するような作業も、あっという間にこなしてくれる。**

　例えば、**図1**のように、絵画作品のタイトルが記入されたExcelのシート

絵画名の横に作者名を入力

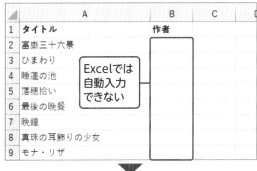

図1　絵画名に合わせて作者名を自動入力するような芸当は、Excelにはできない。一方、自然言語処理に優れたChatGPTなら、こうした依頼も簡単にこなしてくれる。「次の絵画のタイトルに合わせて作者の列を入力して、表形式で出力」という依頼文と一緒に、空欄を含む表全体（図ではA1〜B9セルの範囲）をExcelからコピペして送信しよう

に、その作者名を入力する例を考えてみよう。ウェブを検索して1つずつ調べるのは、大変な手間だ。一方、ChatGPTのプロンプトにその表をコピペして、「作者の列を入力して」「表形式で出力」と頼めば、作者を記入した表をすぐさま出力してくれる（図2）。もちろん、間違った情報を提示する場合もあるので、確認作業は必要。それでも、イチからすべて調べて入力するよりは効率が良く、時間も手間も削減できる。

　ChatGPTの言語処理は優秀なので、料理名が並んだ表に、「和食」「洋食」「中華」といった料理の種類を入れてもらうことも可能だ（図3）。表の内

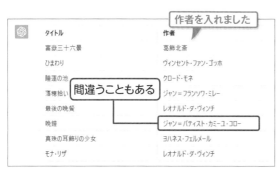

図2 図1の依頼に対する回答の例。出力された表を、Excelにコピペし直せばよい。ただし、1つだけ別の作者を挙げた作品があった。100％正しいとは限らないので、確認は必要だ

商品一覧を指定したカテゴリーで分類

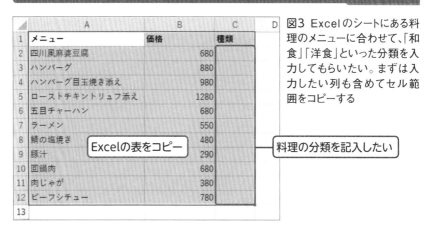

図3 Excelのシートにある料理のメニューに合わせて、「和食」「洋食」といった分類を入力してもらいたい。まずは入力したい列も含めてセル範囲をコピーする

容をプロンプトにコピペし、種類の候補を条件として指定。表形式での出力を依頼しよう（図4）。**表の形で出力されなかった場合は、「表形式で出力して」と追加で依頼する**。なお、ChatGPTも完璧ではない。ラーメンを和食に分類したケースもあり、人間の目によるチェックは欠かせない。

文章の処理は得意中の得意、用語の抽出も意見の分類も

　文章からキーワードを抜き出す特技もある。文章の解析は、チャットAIが最も得意とするものだ。例えば、メタバースに関する文章からITに関する専

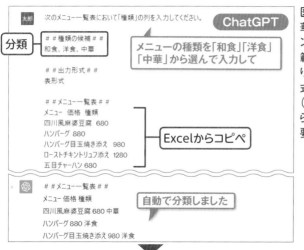

図4　「和食」「洋食」「中華」という分類条件をプロンプトで指定。図3のセル範囲を貼り付ける。列区切りはスペースになる。表形式での出力を依頼しよう（左）。回答が表形式にならなかった場合は、追加で要請すればよい（下）

門用語を抜き出してもらった例が**図5**。「アバター」「VR」といった語句を順当に列挙した。

　込み入った文面をインテリジェントに処理するのも十八番。**図6**は、期日が示された用件を含むメールの文面だ。**「今週中にやるべきタスクを教えて」と頼むと、該当しそうな用件を抜き出して表示した。**なお、ChatGPTは日時を認識できないようで、日付指定のタスクはうまく抽出できなかった。

アンケートの自由記述を分析・評価してもらう

アンケートの自由記述を分析・評価してもらうこともできる。自由記述の内

文章から専門用語を抜き出す

 以下の文章にIT専門用語を抜き出して　　　　　　　　　**ChatGPT**

　１日の大半をネット上の仮想空間で過ごす――。映画やアニメで描かれてきた未来が現実になろうとしている。これが最近話題の「メタバース」だ。もともとはアメリカのＳＦ作家が１９９２年の小説で登場させた言葉で、「Ｍｅｔａ＝超越した」と「Ｕｎｉｖｅｒｓｅ＝世界」を組み合わせた造語。自分の分身となる「アバター」が現実世界のように生活する仮想空間を指す。

　実は、メタバース自体はそれほど目新しいものではない。２０｜以下の文章からIT専門用語を｜フ」がその先駆け。３Ｄの仮想都市で住人同士が交流したり｜抜き出して｜の人生〟が楽しめることで人気を集めた。身近な例では、任天堂の家庭用ゲーム「あつまれ どうぶつの森」もメタバースといえる。

　メタバースが一躍脚光を浴びたのは、２０２１年10月末にフェイスブックが社名をMeta（メタ）に

IT専門用語を抜き出した文章は以下の通りです
1. メタバース（metaverse）
2. アバター（avatar）
3. セカンドライフ（Second Life）
4. 仮想空間（virtual space）
5. 3D（3D）
6. あつまれどうぶつの森（Animal Crossing）
7. SNS（SNS）
8. Meta（メタ）（Meta）
9. VR（仮想現実）ゴーグル（VR goggles）
（以下略）

図5　長い文章から、指定したジャンルの言葉を自動抽出することもできる。ここでは「メタバース」に関する記述からIT専門用語を抜き出してもらった。「アバター」「3D」「VR」などを順当に挙げた。ただ、「コロナ禍」など微妙な抽出も見られた

容を1つひとつ読み進めるのは大変だが、ChatGPTに頼めば、「満足」という意見なのか「不満」という意見なのか、自動で分類が可能だ。

ここでは、自由記述を一覧表にした**図7**のようなExcelデータをChatGPTにコピペし、分類するように指示してみた。すると、「満足」と「不満」に分類できたうえ、さらに不満という意見をグループ分けする作業までお願いできた（次ページ**図8**）。もちろん、人間でも判断が難しい記述もあるので100%正確とはいえないが、概要を把握するには十分で効率的だ。

メールの内容からやるべきタスクを指摘

図6 長いメールの文面から期限が指定されたタスクを抜き出してもらった。本日や明日、週内といった文言を適切に処理している

太郎　次のメールから今週中にやるべきタスクを抜き出して　**ChatGPT**

＃＃メールの文面＃＃
お疲れさまです。今日も暑いですね。
さて、先日依頼した顧客問い合わせの件はと
もしまだでしたら明日中に必ず確認を取ってく

もし追加の発注があれば週内が期限です。

> 次のメールから今週中にやるべきタスクを抜き出して

このメールから抜き出せる今週中にやるべきタスクは以下の通りです：

1. 顧客問い合わせの確認 - 明日中に必ず確認を取る必要が
2. 追加の発注があれば対応 - 週内が期限ですが、納期は来
3. 営業会議のための資料の準備 - 本日中に資料のたたき台を送る必要があります

> 1.顧客問い合わせ - 明日中
> 2.追加の発注対応 - 週内が期限
> 3.資料の準備 - 本日中

アンケートの自由記述を分類する

図7 Excelでまとめられたアンケートの自由記述を満足と不満のどちらかに分類したい。文面を読み取るような処理もChatGPTならお手のものだ

	A	B	C
1	性別	年齢	自由意見
2	男性	30代	オンラインストリーミング中に画質が落ちたり、再生が止まったりすることがあります。
3	男性	50代	ネットワークの安定性に問題があり、接続が頻繁に切れます。不便です。
4	男性	40代	ダウンロードが遅くてイライラします。もっと速くなってほしいです。
5	男性	40代	スマートフォンで動画を視聴すると、読み込みが途中で止まることがあります。
6	男性	40代	一部のウェブサイトにアクセスするときに、接続が不安定でエラーが頻発します。
7	男性	40代	ダウンロード速度もアップロード速度も遅く、ファイル
8	男性	40代	オンラインゲームでの遅延が頻繁に起こるので、競技に
9	男性	40代	オンラインゲームでの遅延が多く、反応が遅れてしまいます。もっと安定してほしいです。
10	男性	40代	ファイルのダウンロードが遅いのはいいですが、同時に他の作業をすると通信が遅くなる
11	男性	40代	ダウンロード速度はまずまずですが、アップロード速度が遅くて困っています。バランスが
12	男性	30代	ビデオ通話中に画面が凍ってしまうことがあります。もっと安定してほしいです。

Excelのシート

太郎: 以下の自由意見に満足と不満に分類してテーブルを作って
性別 年齢 自由意見
男性 30代 オンラインストリーミング中に画質が落ちたり、再生が止まったりすることがあります。定性がほしいです。
男性 50代 ネットワークの安定性に問題があり、接続が頻繁に切れます。
男性 40代 ダウンロードが遅くてイライラします。もっと速くなってほしいです。
男性 40代 スマートフォンで動画を視聴すると、読み込みが途中で止まることがあります。
男性 40代 一部のウェブサイトにアクセスすると、
男性 40代 ダウンロード速度もアップロード速度
男性 40代 オンラインゲームでの遅延が頻繁に起こるので、競技に支障が出ます。安定してほ

以下の意見を満足と不満に分類して

ChatGPT

Excelのデータをコピペ

性別	年齢	自由意見	満足/不満
男性	30代	オンラインストリーミング中に画質が落ちたり、再生が止まったりすることがあります。もう少し安定性がほしいです。	不満
男性	50代	ネットワークの安定性に問題があり、接続が頻繁に切れます。不便です。	不満
男性	40代	ダウンロードが遅くてイライラします。もっと速くなってほしいです。	不満
男性	40代	スマートフォンで動画を視聴すると、読み込みが途中で止まることがあります。	不満
男性	40代	一部のウェブサイトにアクセスするときに、	不満
男性	40代	ビデオ会議が頻繁に途切れずにできるので、リモートワークがスムーズに進んでいます。ありがたいです。	満足

以下が分類したテーブルです

満足と不満に分類

太郎: 「不満」に分類された意見を集約してグルーピングしてください

「不満」の意見を集約してグルーピングして

「不満」に分類された意見を集約してグルーピングすると以下のようになります:

1. オンラインストリーミングの品質と安定性に関する不満:
   - オンラインストリーミング中に画質が落ちたり、再生が止まったりすることがあります。もうほしいです。
   - ストリーミングサービスを利用するときに、たまにバッファリングが発生します。
2. 通信速度に関する不満:
   - アップロード速度が遅くて、ファイルのやり取りに時間がかかります。ストレスです。
   - ダウンロード速度もアップロード速度も遅くて、ファイルのやり取りに時間がかかります。
3. ビデオ通話やオンラインゲームの遅延に関する不満:
   - ビデオ通話中に画面がブレたり、音声が途切れたりします。もっと安定してほしいです。
   - オンラインゲーム中に一時的な遅延があることがありますが、大きな問題ではありません。
   - ビデオ会議で相手の音声が途切れることがあり、コミュニケーションに支障が出ます。もっ
   いです。

「ストリーミングの品質と安定性」「通信速度」「ビデオ通話やオンラインゲームの遅延」に分類されました

これらの意見をまとめると、

図8 ExcelのデータをChatGPTに貼り付けて、満足と不満に分類するように依頼した（上）。すると、それぞれの意見を表にまとめたうえで、右端の列に「満足」と「不満」のいずれかを明示してくれた（中央）。ここではさらに、不満に関する意見をジャンルごとに整理してもらった（下）。なお、判断が難しい意見もあるので、結果をうのみにせず必ず自分で再確認すること

Section 09 関数もマクロ（VBA）も コマンドもPythonもこなせる

チャットAIはプログラム（コード）の生成もできる。VBAやPythonなどの コードはもちろん、身近なところではExcelの関数式や、Windowsのパラ メーター（引数）付きコマンドなども組み立てられる。

Excelの関数式を尋ねるときは、目的のほかに具体的な表のサンプルも 提示したうえで、「数式を教えて」のように指示するとよい（図1）。また、サン

Excelの関数式を組み立ててもらう

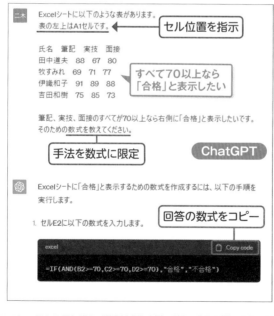

図1 チャットAIはExcel 関数やプログラミングの 質問にも答えてくれる。 Excel関数の場合、具 体的なサンプルを提示 して、やりたいこともなる べく具体的に指示する。 「数式を使って右側に 合格と表示したい」と指 示すれば、条件付き書 式による色付けなど数 式以外の手法を除外で きる。画面はChatGPT だが、新BingやBardも 同様の回答だった

プルの**セル位置**を、「**表の左上はA1セル**」などと明示しておくと、数式中の
セル参照が正確になる。ChatGPTの場合、数式やコードは黒い枠内に表
示され、右上にある「Copy code」をクリックすることでコピーできる。

　**Excelのマクロで使われるVBAのコードも、シートの状況や目的を明確に
して質問することで、自動生成してくれる。**図2は、新Bingでコードの生成を
依頼した例だ。回答が得られたら、コードをコピーして「Visual Basic
Editor」の標準モジュールに貼り付けて実行する（**図3**）。ただし、バグ（不
具合）があってきちんと動作しないケースもあるので、多少の手直しは必

VBAのコードを書いてもらう

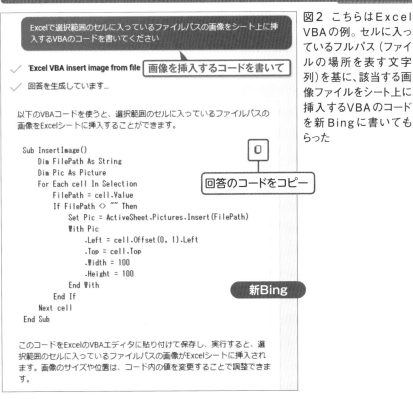

図2　こちらはExcel
VBAの例。セルに入っ
ているフルパス（ファイ
ルの場所を表す文字
列）を基に、該当する画
像ファイルをシート上に
挿入するVBAのコード
を新Bingに書いても
らった

Excelで選択範囲のセルに入っているファイルパスの画像をシート上に挿
入するVBAのコードを書いてください

✓ 'Excel VBA insert image from file 画像を挿入するコードを書いて

✓ 回答を生成しています...

以下のVBAコードを使うと、選択範囲のセルに入っているファイルパスの
画像をExcelシートに挿入することができます。

```
Sub InsertImage()
    Dim FilePath As String
    Dim Pic As Picture
    For Each cell In Selection
        FilePath = cell.Value
        If FilePath <> "" Then
            Set Pic = ActiveSheet.Pictures.Insert(FilePath)
            With Pic
                .Left = cell.Offset(0, 1).Left
                .Top = cell.Top
                .Width = 100
                .Height = 100
            End With
        End If
    Next cell
End Sub
```

回答のコードをコピー

新Bing

このコードをExcelのVBAエディタに貼り付けて保存し、実行すると、選
択範囲のセルに入っているファイルパスの画像がExcelシートに挿入され
ます。画像のサイズや位置は、コード内の値を変更することで調整できま
す。

要。VBAの知識なしで利用できると過信しないほうがよい。

WindowsのコマンドやPythonプログラミングも

Windowsのコマンドも、目的を明示すればパラメーター付きで提示して

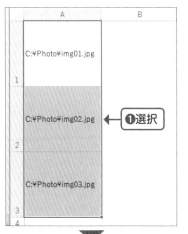

❶選択

❼実行結果

❸「標準モジュール」を挿入

❷ Alt + F11 で Visual Basic Editorを起動

❹

❺コードを貼り付ける

図3 Excel側で画像のフルパスを入力した範囲を選択しておく（❶）。「Alt」＋「F11」キーを押して「Visual Basic Editor」を起動（❷）。「挿入」メニューの「標準モジュール」を選んで「Module 1」を追加したら（❸❹）、右側に図2のコードを貼り付け（❺）、実行ボタンを押す（❻❼）。画像の位置指定など細部は異なるが、ChatGPTやBardも同様の回答だった。なお、この例ではきちんと動いたが、バグがあって動かないこともある

103

くれる。図4では、Windowsを10秒後にシャットダウンするためのコマンドを、Bardに教えてもらった。さらに図5では、コマンドをアイコン化する方法も聞いた。その手順に従って図4のコマンドをアイコン化すれば、アイコンのダブルクリックで10秒後にシャットダウンできるようになる。そのほかWindows関連では、VBScriptのコード生成も可能だ。

Pythonなどのコードも生成できるが、かなり専門的なだけにExcelの関数式などよりも、そのままでは利用できない可能性は高くなる（図6、図7）。ある程度のプログラミングの知識は不可欠だ。

シャットダウンのコマンドを書いてアイコンに

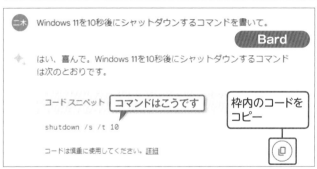

図4 WindowsのコマンドもチャットAIの守備範囲。10秒後にパソコンをシャットダウンするパラメーター（引数）付きのコマンドをBardに書いてもらった。ChatGPTや新Bingも同様の回答だった

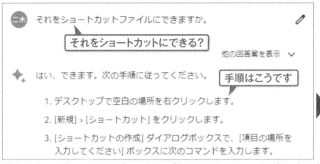

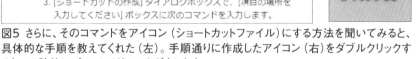

図5 さらに、そのコマンドをアイコン（ショートカットファイル）にする方法を聞いてみると、具体的な手順を教えてくれた（左）。手順通りに作成したアイコン（右）をダブルクリックすると、10秒後にパソコンがシャットダウンした

Pythonのコードを書いてもらう

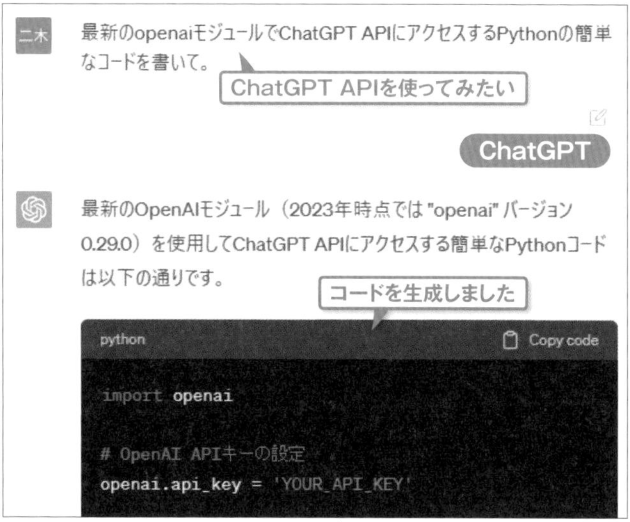

二木 最新のopenaiモジュールでChatGPT APIにアクセスするPythonの簡単なコードを書いて。

ChatGPT APIを使ってみたい

ChatGPT

最新のOpenAIモジュール（2023年時点では "openai" バージョン0.29.0）を使用してChatGPT APIにアクセスする簡単なPythonコードは以下の通りです。

コードを生成しました

```python
python                                          Copy code

import openai

# OpenAI APIキーの設定
openai.api_key = 'YOUR_API_KEY'
```

図6 OpenAIでは、プログラムからChatGPTを利用するための「ChatGPT API」も別途用意している。それにアクセスするPythonのコードをChatGPTに書いてもらった

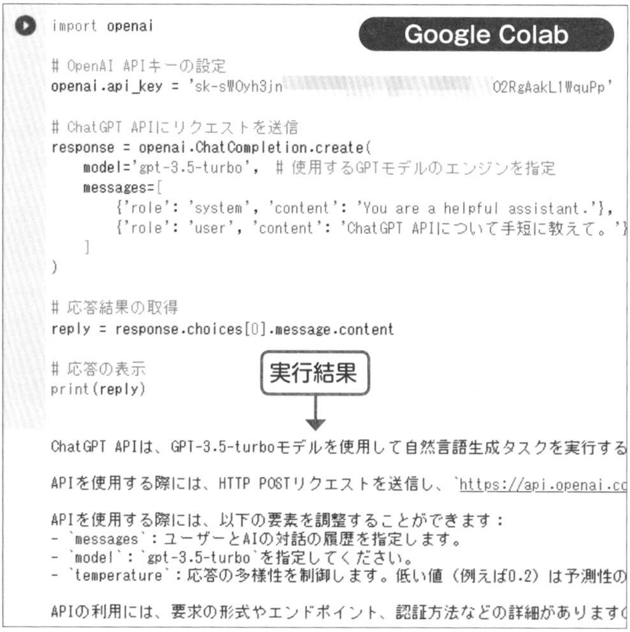

```python
import openai

# OpenAI APIキーの設定
openai.api_key = 'sk-sWOyh3jn                    O2RgAakL1WquPp'

# ChatGPT APIにリクエストを送信
response = openai.ChatCompletion.create(
    model='gpt-3.5-turbo',  # 使用するGPTモデルのエンジンを指定
    messages=[
        {'role': 'system', 'content': 'You are a helpful assistant.'},
        {'role': 'user', 'content': 'ChatGPT APIについて手短に教えて。'}
    ]
)

# 応答結果の取得
reply = response.choices[0].message.content

# 応答の表示
print(reply)
```

Google Colab

実行結果

ChatGPT APIは、GPT-3.5-turboモデルを使用して自然言語生成タスクを実行する

APIを使用する際には、HTTP POSTリクエストを送信し、`https://api.openai.co

APIを使用する際には、以下の要素を調整することができます：
- `messages`：ユーザーとAIの対話の履歴を指定します。
- `model`：`gpt-3.5-turbo`を指定してください。
- `temperature`：応答の多様性を制御します。低い値（例えば0.2）は予測性の

APIの利用には、要求の形式やエンドポイント、認証方法などの詳細がありますの

図7 グーグルのオンラインPython環境「Google Colab」にコードをコピペして多少手直ししたら（パラメーターの言語モデルが古かったので修正）、うまくいった。こうした例では専門知識が不可欠なので、コード生成の丸投げは基本的に難しい

スマホなら音声で手軽に質問 写真を撮って翻訳も

チャットAIはスマホからも利用できる。ここでは、ChatGPTのアプリを紹介したい。インストールする際は、似た名前のアプリが多数公開されているので要注意。開発元（デベロッパ）が「OpenAI」となっている公式アプリを利用しよう（**図1**）。起動するとログインを促されるので、パソコン版のChatGPTで利用しているアカウントでログインする（**図2**）。

使い方はパソコン版と基本的に同じ。チャットのように質問や要望を入

スマホアプリで活用

図1 スマホ向けに「Chat
GPT」アプリが提供されている。iOSなら「App Store」、
Androidなら「Playストア」から入手しよう。似た名前で異なるアプリが多数あるので間違わないように注意。「デベロッパ」が「OpenAI」となっているものが公式アプリだ

図2 アプリをインストールしたら、パソコン版
（ウェブサイト）で利用しているChatGPTの
アカウントでログインする。パソコン版と同
様、アップルやグーグルのアカウントでログ
インすることもできる

れて送信すれば、AIが回答してくれる。**スマホ版の特徴は、音声でも質問を入力できること**。iOS版では右側にある音波のアイコン、Android版では左側にあるマイクのアイコンをタップしてスマホに話しかけると、言葉が認識されて文字になる（**図3**）。

またiOS版では、**カメラを使った文字の読み取りも可能だ**[注]。メッセージ欄をタップして「Scan Text」を選ぶと、キーボードの部分がカメラの映像

▶音声で話しかけて質問できる

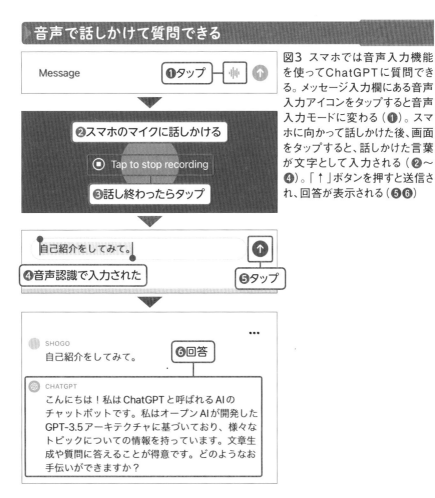

図3 スマホでは音声入力機能を使ってChatGPTに質問できる。メッセージ入力欄にある音声入力アイコンをタップすると音声入力モードに変わる（❶）。スマホに向かって話しかけた後、画面をタップすると、話しかけた言葉が文字として入力される（❷～❹）。「↑」ボタンを押すと送信され、回答が表示される（❺❻）

[注]2023年8月上旬時点では、Android版にこの機能は搭載されていない

に変わる。そこに書類などの文章を写すとその文字が認識されて自動入力される（図4）。**英語の文章をカメラで読み取ったうえで、「上記の文を翻訳して」などと追記して送れば、即座に日本語に翻訳してくれる。**旅先で出くわした英語の案内板や説明書などを、その場で翻訳することが可能だ。

　なお、新Bingもスマホアプリを用意していて、音声入力にも対応。撮影した写真を取り込んで、「何が写っている？」と尋ねることもできる。

iOS版では、カメラで文字を認識して利用できる

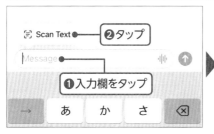

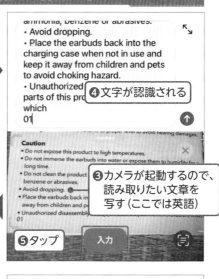

図4 iOS版では、メッセージ入力欄をタップすると（❶）、「Scan Text」というメニューが現れる。これをタップすると（❷）、画面下側のキーボード部分がカメラの映像に変わり、書類や本などの文字を読み取って入力できる（❸❹）。英語の文章を読み取り（❺）、キーボードから「翻訳してください」と追記して送信すると（❻❼）、日本語訳が表示される（❽）

第3章

Excel×
ChatGPT
仕事術

「ChatGPT」は仕事でも大活躍します。ビジネスに
おける必携アプリといえば「Excel」ですが、Excel
とChatGPTを組み合わせれば鬼に金棒。あと一
歩わからない点を質問したり、抱えている課題を
丸投げしたり、Excelにはとても不可能な文章の
解析処理を依頼したり……。業務効率化を実現
する最強の武器になります。普段のExcel操作に
応用できる事例をいろいろ紹介します。

文／たてばやし 淳

Section 01

ビジネスではこう使え！
Excel仕事にもChatGPT

　毎日の仕事に欠かせないアプリは何かとビジネスパーソンに聞くと、多くがExcelと答えるだろう。表の作成から数値の計算、グラフ化、データ整理、プレゼンまで、さまざまな場面でExcelは必須の道具となっている。一方で、Excelは操作方法や数式などで戸惑うことがしばしばある。Excelをもっと上手に使いこなしたいと思っている人は少なくないはずだ。

Excelの疑問や要望にも即座に答えてくれる

	A	B	C	D	E	F	G	H
1	ID	日付	担当者	商品コード	商品名	数量	単価	合計売上
2	1	2023/1/1	鈴木一郎	YX-011-SV	プロジェクター(シルバー)	10	120,000	1,200,000
3	2	2023/1/11	山田花子	YX-008-WH	コピー機(白)	5	70,000	350,000
4	3	2023/1/21	小林太郎	YX-010-WH	プロジェクター(白)	20	400,000	8,000,000
5	4	2023/1/30	山田花子	YX-001-BK	レーザープリンター(黒)	15	180,000	2,700,000
6	5	2023/2/7	鈴木一郎	YX-001-BK	レーザープリンター(黒)	25	25,000	625,000
7	6	2023/2/14	山田花子	YX-007-SV	レーザープリンター(シルバー)	8	80,000	640,000
8	7	2023/2/19	鈴木一郎	YX-011-SV	プロジェクター(シルバー)	12	30,000	360,000
9	8	2023/2/28	山田花子	YX-015-SV	モニター(シルバー)	3	250,000	750,000
10	9	2023/3/8	田中太郎	YX-015-SV	モニター(シルバー)	5	150,000	750,000
11	10		花子	YX-013-SV	ノートパソコン(シルバー)	10	15,000	150,000
			太郎	YX-007-SV	レーザープリンター(シルバー)	2		
	2		一郎	YX-015-SV	モニター(シルバー)			
				YX-012-WH	ノートパソコン(白)			
			田中太郎	YX-007-SV	レーザープリンター(シルバー)			
		2023/4/13	田中太郎	YX-003-BK	プロジェクター(黒)			
		2023/4/21	小林太郎	YX-001-BK	レーザープリンター(黒)	10	70,000	700,000

担当者別に集計してよ

わかんない！助けてChatGPT

図1 ビジネスの現場で最も多く使われているアプリが「Excel」だろう。このExcelを使った作業でも、ChatGPTは大いに頼りになる。やりたいことを説明してやり方を質問すれば、どのような機能を使えばよいか、どのような数式を立てればよいか、即座に答えてくれる。データを丸投げして、処理した結果をそのまま提示させることも可能だ

そんな悩みにも、ChatGPTは応えてくれる。例えば、Excelを使った売り上げデータの集計方法がわからないときは、ChatGPTに質問すればよい。**利用する関数や数式などの解決策**を教えてくれる（**図1**）。

ヘルプ代わりに使えるだけではない。自分が知っているやり方に加えて、**より効果的な手順や数式**を示してくれたり、そもそも**Excelにはできないようなデータ処理**を実行してくれたり──。ChatGPTは仕事上のさまざまな課題を解決するための強力な武器になる。

Excel仕事を効率化するChatGPTの活用法

本章では、ChatGPTを活用してExcel仕事を加速する4つのノウハウを

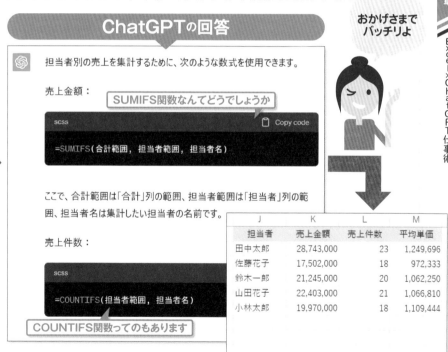

紹介しよう（図2）。1つめは**"丸投げ質問"**。「Excelのどの機能を使えばよいかまったくわからない」という白紙の状態での利用だ。このような状況では、目指す結果や目的を具体的にChatGPTに質問することで、機能や操作方法を教えてもらえる。2つめは**"あと一歩質問"**。大まかな操作手順は理解しているが詳細な設定や数式がわからない、もっとうまい別の方法を知りたい、といったケースで有用だ。3つめは**"言語処理の依頼"**。これは自

大きく4つの活用方法がある

丸投げ質問（ゼロベース質問）

**やりたいことがあるが、Excelのどんな機能を使ったらよいか
まったくわからない**

費用一覧表をExcelで集計して、収支レポートを作成したい。どうしたらいい？

↓

以下の手順に従ってください。
1.データを入力して選択します
2.「挿入」タブの「テーブル」を選択します
：

ステップバイステップで教えてくれるんだ

あと一歩質問（ラスト1マイル質問）

**おおよその手順はわかるが、細かい設定や数式がわからない。
あるいは、別の方法があれば提案してほしい**

集計のためにSUMIF関数を入力したいので、引数の指定方法を教えて

↓

下はSUMIF関数の基本的な構文です：
SUMIF（範囲,条件,合計範囲）
：

ヘルプの代わりになっちゃう

質問する

然言語処理AIであるChatGPTの得意分野。商品の分類やキーワードの抽出、文章の翻訳や要約など、Excelでは不可能な処理を依頼できる。

　そのほか4つめの依頼として、**プログラム（コード）の生成**などが挙げられる。「こんなプログラムを作って」と具体的な内容を示せば、それを実現するプログラムを組み立ててくれる。これらの活用法をマスターすれば、日々の業務がChatGPTにより劇的に効率化できること請け合いだ。

依頼する

言語処理の依頼（AI処理依頼）

ChatGPTの得意とする言語処理能力を生かし、分類、抽出、翻訳、要約、文章生成など、Excelでできない処理を行わせる

以下の表について、商品名を基に商品分類を推定して付けて

以下の文章を要約して箇条書きにして

「ChatGPT for Excel」などのアドインを利用すれば、関数からChatGPTを呼び出して結果をセルに表示できる

AIならではだねっ!

そのほかの依頼（コード生成など）

ChatGPTはプログラム（コード）の生成もできる。Excelのマクロ（VBA）のコードも作成可能だ

以下の要件を満たすVBAコードを作って
・シート上にあるオブジェクトを全削除
・2行目以降にあるセルの背景色を全削除
　　：

そのコードの意味を新入社員でもわかるような文章で説明して

プログラミングまでできるんだ!

図2 Excel実務でChatGPTを活用する方法は大きく分けて4つある。本章ではまず基本的な使い方から始めて、これら4つを順に詳しく解説していく

Excelについて質問してみよう
役立つ機能10選は?

手始めに、ChatGPTに簡単な質問をしてみよう。「**Excel実務に役立つ機能とその使い方を10個紹介して**」と尋ねたところ、10個の有益な機能とその使用方法について詳しく解説してくれた（**図1**、**図2**）。Excelについてもかなり詳しいことが、これだけでもわかる。

回答が長いと途中で切れてしまうことがあるが、その場合も「Continue

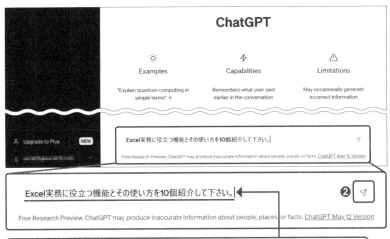

まずは簡単な質問をしてみよう

❶「Excel実務に役立つ機能とその使い方を10個紹介して下さい。」と入力

図1 ChatGPTのウェブサイトにアクセスし、Excelに関する質問をしてみよう。手始めに、Excelの役立つ機能を10個聞いてみる。質問を図のように入力して（❶）、紙飛行機のボタンを押すか（❷）、「Enter」キーを押そう

generating」をクリックすれば、続きが表示される。

ChatGPTは質問と回答の文脈を理解しているので、対話形式で質問していくこともできる。前提条件を理解したうえで回答してくれるわけだ。次ページ図3では、図2の回答に対して「**この中で、新人社員が優先的に覚えるべき機能は?**」と続けて質問してみた。「この中で」といった指示語も理解

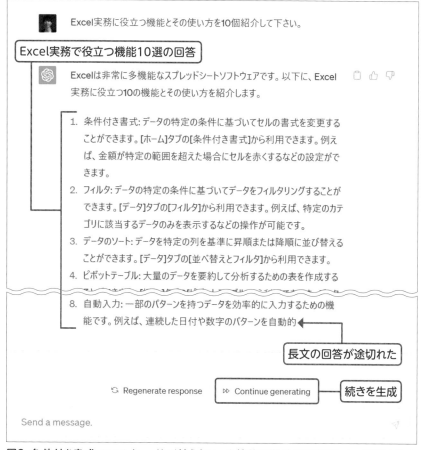

Excel実務に役立つ機能とその使い方を10個紹介して下さい。

Excel実務で役立つ機能10選の回答

Excelは非常に多機能なスプレッドシートソフトウェアです。以下に、Excel実務に役立つ10の機能とその使い方を紹介します。

1. 条件付き書式: データの特定の条件に基づいてセルの書式を変更することができます。[ホーム]タブの[条件付き書式]から利用できます。例えば、金額が特定の範囲を超えた場合にセルを赤くするなどの設定ができます。
2. フィルタ: データの特定の条件に基づいてデータをフィルタリングすることができます。[データ]タブの[フィルタ]から利用できます。例えば、特定のカテゴリに該当するデータのみを表示するなどの操作が可能です。
3. データのソート: データを特定の列を基準に昇順または降順に並び替えることができます。[データ]タブの[並べ替えとフィルタ]から利用できます。
4. ピボットテーブル: 大量のデータを要約して分析するための表を作成する

8. 自動入力: 一部のパターンを持つデータを効率的に入力するための機能です。例えば、連続した日付や数字のパターンを自動的

長文の回答が途切れた

↻ Regenerate response   ≫ Continue generating   **続きを生成**

Send a message.

図2 条件付き書式、フィルター、並べ替えといった機能が順番に列挙された。説明の途中で文字数の上限に達し、回答が途切れてしまった場合は、「Continue generating」をクリックして続きを生成させよう

できるのが最新AIの真骨頂。質問と回答は履歴として残り、質問を編集して回答を求め直すこともできる（**図4**）。

とはいえ、前章までに繰り返し説明してきた通り、**ChatGPTも完全ではなく、いくばくかの弱点も存在する**。無料版のChatGPTは2021年9月までの情報しか学習しておらず、最新の情報は回答できないというのもその1つ

▶追加の質問や、質問の編集も可能

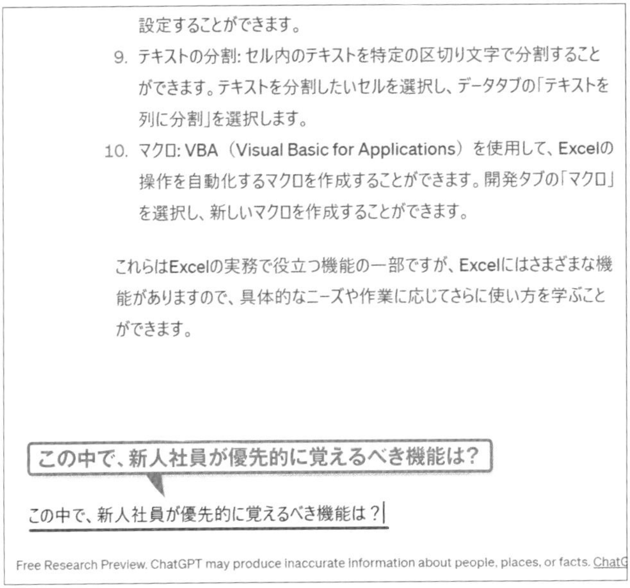

図3 ChatGPTでは、会話の流れを引き継ぐ形で質問を続けられるのが利点。先ほどの回答にあった10個の機能のうち、特に新入社員が覚えるべきものを追加で尋ねるなどできる

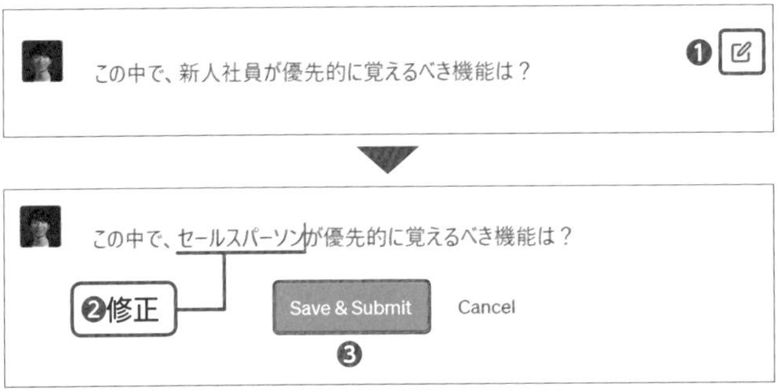

図4 送信した質問をやり直すことも可能。右上の鉛筆ボタンを押すと編集できるので（❶❷）、「新入社員」を「セールスパーソン」に変更。「Save & Submit」ボタンを押すと質問し直せる（❸）

（**図5**）。また、回答の根拠や出典元を示さないので、ビジネスで利用する際は細心の注意が必要だ（**図6**）。まれに、回答が真っ赤な嘘というケースもある。うのみにしてはいけない。

　なお、**ChatGPTには月額20ドルの有料版もある**。有料版では、より精度の高いAIモデル「GPT-4」を利用できるほか、ネットを検索して最新情報を取得したり、70以上のサービスと連携して回答を生成したりする新機能のベータ版（開発途上版）も使える。

もちろん、限界はある

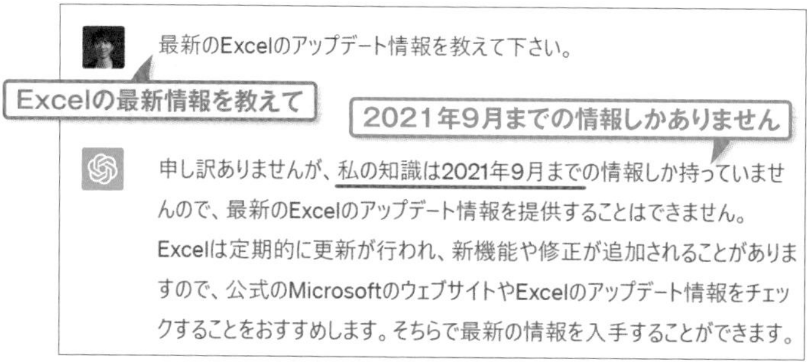

最新のExcelのアップデート情報を教えて下さい。

Excelの最新情報を教えて

2021年9月までの情報しかありません

申し訳ありませんが、私の知識は2021年9月までの情報しか持っていませんので、最新のExcelのアップデート情報を提供することはできません。Excelは定期的に更新が行われ、新機能や修正が追加されることがありますので、公式のMicrosoftのウェブサイトやExcelのアップデート情報をチェックすることをおすすめします。そちらで最新の情報を入手することができます。

図5 最新バージョンのExcelについて尋ねると、2021年9月までの情報しか持っていないとの回答。無料版のChatGPTは最新の情報を学習していない点は心にとめておこう

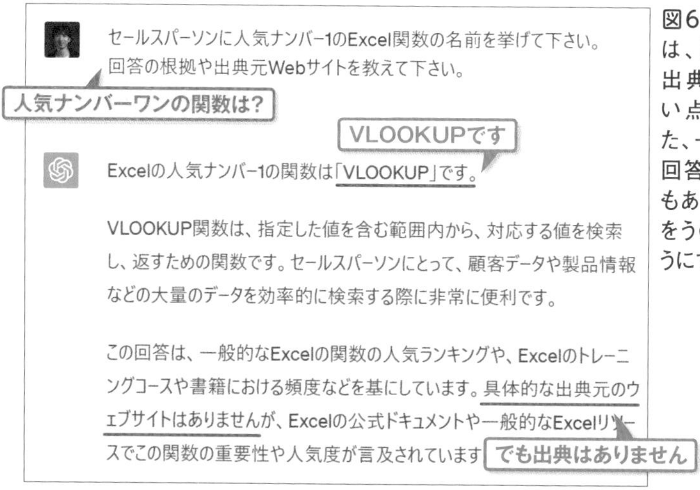

セールスパーソンに人気ナンバー1のExcel関数の名前を挙げて下さい。回答の根拠や出典元Webサイトを教えて下さい。

人気ナンバーワンの関数は？

VLOOKUPです

Excelの人気ナンバー1の関数は「VLOOKUP」です。

VLOOKUP関数は、指定した値を含む範囲内から、対応する値を検索し、返すための関数です。セールスパーソンにとって、顧客データや製品情報などの大量のデータを効率的に検索する際に非常に便利です。

この回答は、一般的なExcelの関数の人気ランキングや、Excelのトレーニングコースや書籍における頻度などを基にしています。具体的な出典元のウェブサイトはありませんが、Excelの公式ドキュメントや一般的なExcelリソースでこの関数の重要性や人気度が言及されています

でも出典はありません

図6 ChatGPTでは、回答の根拠や出典元が示されない点にも注意。また、一部に間違った回答が含まれることもあるので、すべてをうのみにしないようにすること

ビジネスでの利用時は
情報流出に気を付けよう

ChatGPTをビジネスで活用する際は、情報流出のリスクに注意したい。ユーザーが送信した質問は、AIモデルの学習や改善に利用される可能性がある。例えば**自社の機密情報を含んだ質問を送信した場合、第三者からの質問で情報が漏れる可能性もある**（図1）。Excelでは、顧客などの個人情報を扱うケースが少なくない。そのような情報には特に注意が必要だ。

AIによる学習を防ぎたければ、履歴の設定をオフにするとよい（図2）。履歴を残したい場合は、オプトアウトフォームで申請する手もある（図3）。

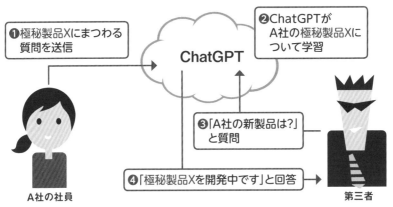

送信した質問を学習し、他人に教えてしまう恐れも

❶極秘製品Xにまつわる質問を送信

ChatGPT

❷ChatGPTがA社の極秘製品Xについて学習

❸「A社の新製品は?」と質問

❹「極秘製品Xを開発中です」と回答

A社の社員

第三者

図1 送信した情報はAIモデルの学習に利用される可能性がある。例えば、会社の機密情報が学習に使われると、第三者の質問によって漏れてしまう危険もある（❶～❹）。これを防ぐには、図2で「Chat History & Training」をオフにするか、図3のオプトアウトフォームでリクエストする

送信したデータを学習に使われないように設定

図2 サイドバーの下端にある「…」をクリックし（❶）、開くメニューで「Settings」を選ぶ（❷）。設定画面が開いたら、左側で「Data controls」を選択（❸）。そこにある「Chat History & Training」がオンになっていると、送信したデータを学習に使われてしまう（❹）。機密情報を扱う場合は、これをオフにしよう。なお、オフにすると、チャットの履歴も残らなくなる

❹履歴が記録され、会話がAIモデルの学習に利用される

User Content Opt Out Request

One of the most useful and promising features of AI models is that they can improve over time. We continuously improve the models that power our services, such as ChatGPT and DALL-E, via scientific and engineering breakthroughs as well as exposure to real world problems and data.

* 必須の質問です

https://docs.google.com/forms/d/1t2y-arKhcjlKc1l5ohl9Gb16t6Sq-iaybVFEbLFFjal/

メールアドレス *

🖉 編集┆

メールアドレス

図3 「オプトアウトフォーム」からリクエストする方法もある。URLは複雑だが「ChatGPTオプトアウトフォーム」などで検索するとリンク付きのブログ記事などが見つかる。ここから申請して承認されれば、チャットの履歴を残す設定のまま、送信したデータをAIモデルの学習に利用されない設定にできる。筆者の場合はフォームの送信後、手続き完了メールが返ってくるまでに数日かかった

Section 04 回答の精度を上げるための上手な質問の仕方

　Excelの操作についてChatGPTに聞いてみたが、期待した回答を得られなかった——。そんな一度か二度の経験から、「AIは役に立たない」と失望するのは早計だ。期待通りの答えが得られない原因の多くは"質問の仕方"にある。上手に質問すれば、ドンピシャの回答が得られることも多い。

　逆にいうと、回答の精度は質問の方法に大きく左右される。人間（部下や

明確で具体的な質問をする

Excelで、在庫が少ない商品を目立たせるにはどうすればいいですか？

 在庫が少ない商品を目立たせたい

 条件付き書式を使います

Excelで在庫が少ない商品を目立たせるためには、条件付き書式を使用する方法があります。以下に手順を示します。

数式で
やりたいん
だけどなぁ

1. 在庫数量が記録されているセルを選択します。例えば、在□列にある場合は、A列を選択します。

2. Excelの「ホーム」タブにある「条件付き書式」のセクションをク□□□す。

3. ドロップダウンメニューから「新しいルール」を選択します。

図1 上のように曖昧で具体性のない質問をすると、こちらのイメージと異なる回答が生成されてしまう可能性がある。例えば「D列」「E列」といったセル範囲や「50」といった数字など、具体的な条件や達成したい結果を明確に伝えることで、右のように、こちらの求める操作方法や数式を的確に答えてくれる

外注先など)に仕事を依頼するときと同じだ。ここではまず、上手な質問方法を押さえておこう。

Excelの機能は多種多様、質問の工夫で回答を限定する

　一番大事なポイントは「**明確で具体的な質問**」をすることだ。当然ながら、曖昧で具体性に欠ける質問より、明確で具体的な質問のほうが意図に沿った回答を得やすい。

　例えば、**図1左**のように「在庫が少ない商品を目立たせるにはどうすればいい?」などという曖昧模糊な質問はNG。Excelにはデータを目立たせる機能がたくさんあるので、期待と違う機能を提案されてしまう可能性がある。

Excelで、D列の在庫数が50を下回るとき、E列に「在庫わずか」と表示させるにはどんな数式が必要ですか?

D列が50未満のときE列に「在庫わずか」と表示したい

ExcelでD列の在庫数が50を下回る場合に、E列に「在庫わずか」と表示させるには、以下の数式を使用します。

E列のセルに以下の数式を入力してください:

E列にこの数式を入力してください

```arduino
=IF(D1<50, "在庫わずか", "")
```

この数式は、D1セル(D列の最初のセル)の値が50未満の場合、「在庫わずか」と表示されます。それ以外の場合は、セルには何も表示されません。

一方、図1右のように「E列に『在庫わずか』と表示したい」と具体的に質問すれば、セルに文字列を表示する手法に限定できる。

質問を工夫して回答を限定することは、ChatGPT活用の肝といえる。図2のように「見出しを付けて情報を整理する」という手法も有効だ。図3のよ

▶見出しを付けて情報を整理する

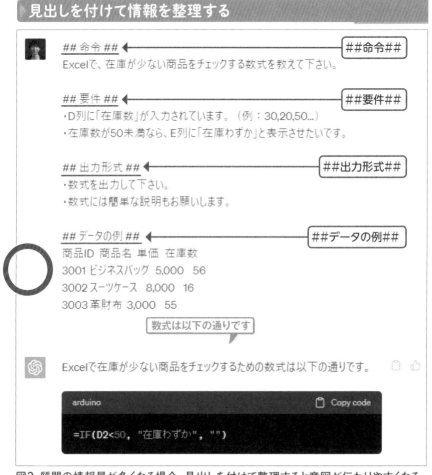

図2 質問の情報量が多くなる場合、見出しを付けて整理すると意図が伝わりやすくなる。ここでは「##見出し##」という形式にしたが、見出しだと区別がつくならどんな書式でもかまわないようだ。改行は「Shift」+「Enter」キーで行う

うに命令やデータの例などさまざまな情報が混在した文章で質問するよりも、回答の精度が高まる。AIも人間と同じで、整理された情報を受け取るほうが理解しやすい。**特に具体的なデータの例は、質問とは別に見出し付きで分離するのがオススメ。**データはExcelからコピペしよう（**図4**）。

「諦めずに何度も質問・命令を繰り返す」ことも重要だ。最初の回答が期待ハズレでも、「○○についてもっと詳しく説明してください」「回答を表に整理してください」などと対話を続けることで、イメージ通りの回答に近づいていく（次ページ**図5**）。

● **曖昧な質問では、意図したものとは違う回答に…**

Excelで、前後に分けたい文字列があります。セルに何と打ち込んだら隣の場所に結果が出るのか知りたいです。
セルに何と打ち込んだらいいんでしょうか

テキスト関数があります。例として…

Excelで文字列を前後に分けるには、テキスト関数やテキスト操作関数を使用することができます。具体的な手順を以下に示します。

例として、セルA1に文字列「Hello World」があるとします。この文字列を前後に分けて、セルB1に前半部分、セルC1に後半部分を表示する方法を説

図3 情報が整理されておらず、図2の質問に比べると「出力形式」や「データの例」といった情報が不足している。このような質問ではうまく意図が伝わらない可能性がある

● **セル範囲をコピペするとスペース区切りになる**

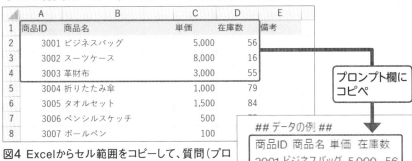

図4 Excelからセル範囲をコピーして、質問（プロンプト）の欄に貼り付けることも可能。表データはスペース区切りに変換される

「もっと詳しく」と繰り返す、「どんな情報が必要?」と聞く

「どんな質問をしたらよいかChatGPTに聞く」というテクニックもある。「〇〇したい」と単純に聞くのではなく、「そのために必要な情報があれば質問してください」と頼むのだ。質問の仕方をヒアリングしてもらうことで、聞くべきポイントを明確化できる。この手法は「深津式プロンプト・システム」と呼ばれ、noteのCXOである深津貴之氏がセミナーで紹介し、一躍注目を浴びることとなった（図6〜図8）。

よりわかりやすく説明してもらう
- 新入社員にもわかる文章でもう一度教えてください
- あなたの回答を短く要約してください
- 例を挙げて説明してください

より詳しく説明してもらう
- 回答にある〇〇についてもっと詳しく説明してください
- 操作手順を詳しく説明してください
- その機能が役立つ具体的なシーンを挙げてください

回答の方法を指定する
- 回答を表に整理してください
- その操作のショートカットキーを紹介してください
- その機能を使った時短術を紹介してください

複数の選択肢や視点を求める
- ほかにも方法はありませんか? 複数挙げてください
- メリットとデメリットを教えてください
- 〇〇との違いを比較しながら説明してください

図5 最初の回答が期待外れのこともあるが、そこで「やっぱりAI使えない」と諦めてしまうのは早計。会話の流れの中で何度も質問と依頼を繰り返すことで、精度を高められる。精度を高めるために有効なフレーズの例を挙げたので参考にしてほしい

▶逆にヒアリングしてもらう手もある

Excelで、在庫が少ない商品を目立たせたいと思います。
最高の結果を得るために、必要な質問があれば下さい。

> 最高の結果を得るために必要な情報があれば質問してください

以下の質問にお答えいただければ、在庫が少ない商品を目立たせるために
最適な方法を提案できます。

> 以下の質問にお答えください

1. 在庫が少ないとはどのように定義されていますか？具体的な在庫数や
   割合を教えてください。
2. 在庫情報はどのようにExcelに保存されていますか？在庫数が含まれ
   る列やセルの位置を教えてください。
3. 在庫が少ない商品を目立たせるために使用する予定の手法や方法は
   ありますか？例えば、セルの色を変える、特定の記号やアイコンを表示
   するなど。
4. 在庫が少ない商品の表示方法に関して特別な要件はありますか？例
   えば、特定の条件を満たす場合にのみ表示する、在庫数の変動に応
   じて自動的に更新するなど。

図6 在庫が少ない商品を目立たせる方法を尋ねたい。その際、「必要な情報があれば質問してください」などと投げかけると、ChatGPTのほうから質問をしてくる。このやり取りを通じて、議論の条件やポイントを整理できる

---

1. 在庫数が50を下回っていることが条件です。
2. 在庫数はD列に入力されています。
3. わからないので、いくつか提案を下さい。
4. 5. 特に要件はありません。

図7 ChatGPTからの質問に対し、順番に回答を送信する。わからない質問に対しては、提案を求めることも可能だ

了解しました。在庫が少ない商品を目立たせるためのいくつかの提案をご
紹介します。

> 条件付き書式とアイコンセットを提案します

提案1: 条件付き書式を使用してセルの色を変える
条件付き書式を使って、在庫数が50未満の商品を目立たせることができ
ます。以下の手順で設定できます。

提案2: アイコンセットを使用して在庫数を表示する
Excelには、アイコンセットと呼ばれる絵文字アイコンがあります。在庫数の
少なさを絵文字で表示することで、目立たせることができます。以下の手順
で設定できます。

図8 以上のやり取りを踏まえて、ここでは「条件付き書式」や「アイコンセット」などの機能を使うことを提案してくれた

あなたの課題を「丸投げ質問」してみよう

Excelはさまざまな機能を備えているので、どの機能を使えば自分の目的を達成できるのか戸惑うことが多い。そんなときはまず、ChatGPTに"丸投げ質問"してみよう。

例えば、**図1**では「売上一覧表から担当者別の売り上げを集計する」という課題について、どのような数式を組み立てるべきか聞いてみた。丸投げ質問で大事なのは「現状」と「目的」を明確に伝えること。Excelシートにどんなデータがあるのか現状を伝え、そこから何を目指してどのようなアウト

「現状」と「目的」を明確に伝える

	A	B	C	D	E	F	G	H
1	ID	日付	担当者	商品コード	商品名	数量	単価	合計売上
2	1	2023/1/1	鈴木一郎	YX-011-SV	プロジェクター(シルバー)	10	120,000	1,200,000
3	2	2023/1/11	山田花子	YX-008-WH	コピー機(白)	5	70,000	350,000
4	3	2023/1/21	小林太郎	YX-010-WH	プロジェクター(白)	20	400,000	8,000,000
5	4	2023/1/30	山田花子	YX-001-BK	レーザープリンター(黒)	15	180,000	2,700,000
6	5	2023/2/7	鈴木一郎	YX-001-BK	レーザープリンター(黒)	25	25,000	625,000
7	6	2023/2/14	山田花子	YX-007-SV	レーザープリンター(シルバー)	8	80,000	640,000
8	7	2023/2/19	鈴木一郎	YX-011-SV	プロジェクター(シルバー)	12	30,000	360,000
9	8	2023/2/28	山田花子	YX-015-SV	モニター(シルバー)	3	250,000	750,000
10	9	2023/3/8	田中太郎	YX-015-SV	モニター(シルバー)	5	150,000	750,000
11	10	2023/3/14	佐藤花子	YX-013-SV	ノートパソコン(シルバー)	10	15,000	150,000
12	11	2023/3/21	田中太郎	YX-007-SV				
13	12	2023/3/28	鈴木一郎	YX-015-SV				
14	13	2023/4/2	鈴木一郎	YX-012-WH				
15	14	2023/4/7	田中太郎	YX-007-SV				
16	15	2023/4/13	田中太郎	YX-003-BK				
17	16	2023/4/21	小林太郎	YX-001-BK				
				YX-006-WH				

集計したいデータ

J	K	L	M
担当者	売上金額	売上件数	平均単価
田中太郎	28,743,000	23	1,249,696
佐藤花子	17,502,000	18	972,333
鈴木一郎	21,245,000	20	1,062,250
山田花子	22,403,000	21	1,066,810
小林太郎	19,970,000	18	1,109,444

集計結果のイメージ

プットを望むのか目的も明確にする。

ネット掲示板で質問するときと同じ、曖昧だと答えようがない

ChatGPTに質問するときも、インターネット上の掲示板などで質問すると
きと同じだと考えればよい。ネットの住人なら「質問が曖昧すぎるので、もっ
と具体的に書いて!」などと指摘してくれるが、ChatGPTは曖昧な質問にも
何とか答えようとがんばってくれる。とはいえ、**現状と目的の説明が曖昧だ**
と、適切な回答は得られない。無理やり回答しようとするがために、かえっ
て役に立たない回答となってしまうこともある。

ChatGPTは、図1の質問に対して3つの数式を提示してくれた(次ペー
ジ**図2**)。数式やプログラム(コード)などは「コードブロック」という黒い背景
の枠内に表示され、右上の「Copy code」ボタンで簡単にコピーできる。そ

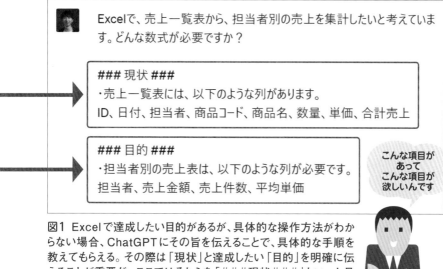

> Excelで、売上一覧表から、担当者別の売上を集計したいと考えていま
> す。どんな数式が必要ですか?
>
> ### 現状 ###
> ・売上一覧表には、以下のような列があります。
> ID、日付、担当者、商品コード、商品名、数量、単価、合計売上
>
> ### 目的 ###
> ・担当者別の売上表は、以下のような列が必要です。
> 担当者、売上金額、売上件数、平均単価

こんな項目が
あって
こんな項目が
欲しいんです

図1 Excelで達成したい目的があるが、具体的な操作方法がわか
らない場合、ChatGPTにその旨を伝えることで、具体的な手順を
教えてもらえる。その際は「現状」と達成したい「目的」を明確に伝
えることが重要だ。ここではそれらを「###現状###」といった見
出しで整理する形で質問した

うやってコピーした内容をExcelのセルに貼り付けて使えばよい。

数式の意味や改善点を続けて質問・依頼できる

提案された機能や数式の詳細を尋ねることも可能だ（**図3**）。例えば、提案された数式を引用して「**もっと具体的に教えてください**」と要請すれば、その数式について詳しく説明してもらえる。その際は「**ステップバイステップ**

●結果、3つの数式を教えてくれた

担当者別の売上を集計するために、Excelのデータ集計機能を使用することができます。以下に数式の手順を示します。

> 売上金額の数式です

1. 担当者別の売上金額を計算するために、次の数式を使用します。

```scss
=SUMIFS(合計売上の範囲，担当者の範囲，担当者のセルの値)
```

これは、合計売上の範囲で、担当者のセルの値と一致する担当者の売上金額を合計するものです。合計売上の範囲と担当者の範囲は、適切にデータ範囲に置き換えてください。

> こちらは売上件数

2. 担当者別の売上件数を計算するために、次の数式を使用します。

```scss
=COUNTIFS(担当者の範囲，担当者のセルの値)
```

これは、担当者の範囲で、担当者のセルの値と一致する担当者の件数をカウントするものです。

> 平均単価です

3. 平均単価を計算するために、次の数式を使用します。

```scss
=AVERAGEIFS(単価の範囲，担当者の範囲，担当者のセルの値)
```

これは、単価の範囲で、担当者のセルの値と一致する担当者の平均単価を計算するものです。

上記の数式を使用して、担当者別の売上表を作成することができます。適切な範囲とセルの値を使用して、数式を調整してください。

図2 目的として担当者、売上金額、売上件数、平均単価を指定したため、担当者別にそれぞれを求める関数式が提示された。これらの数式をExcelにコピペして、必要なセル範囲を引数に指定していけばよい

で」と添えるのがポイント。より具体的な手順を順序立てて説明してくれる。

　注意したいのは、多くの場合、提案された数式がそのまま使えるとは限らないこと。特にセル参照などが「合計売上の範囲」などと言葉で説明されている場合は、手元にあるExcelシートに合うように、該当する範囲を自分で指定しなければならない（次ページ図4）。あらかじめセルの位置などを具体的に提示しておけば、初めからセル参照も指定された数式を提示してくれることもある。その場合は数式をコピペするだけでOKだ。

　コピペした数式がうまく使えない場合は、**シートの状況を再度伝えて、数式を改善するように依頼する手もある。**「『合計売上』はH列にあります」な

●提案された方法を掘り下げて質問する

「1.担当者別の売上金額を計算する」で提案いただいた、次の数式を採用したいです。

　→ =SUMIFS(合計売上の範囲, 担当者の範囲, 担当者のセルの値)

もっと具体的に数式を教えて下さい。ステップバイステップでお願いします。

> 提案された
> 数式を貼り付ける

> SUMIFSをもっと具体的にステップバイステップで

担当者別の売上金額を計算するための具体的な数式をステップバイステップで説明します。

> 1.セルを選択します

1. まず、担当者別の売上金額を表示するセルを選択します。例えば、セルA2に担当者別の売上金額を表示したい場合、セルA2を選択します。

> 2.以下の数式を入力します

2. 数式バーに以下の数式を入力します。

```scss
=SUMIFS(合計売上の範囲, 担当者の範囲, 担当者のセルの値)
```

各部分の説明は以下の通りです。

* 合計売上の範囲: 売上金額が記録されているセルの範囲を指定します。例えば、合計売上がB列の2番目から100番目までのセルに記録されている場合、範囲はB2:B100となります。

図3　提案された方法を詳しく掘り下げることも可能。提案の一部を引用したうえで、「もっと具体的な数式を教えてください」などと質問すればよい

●教えてもらった通りに数式を入力

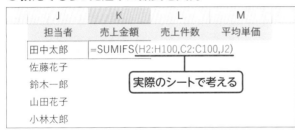

	J	K	L	M
	担当者	売上金額	売上件数	平均単価
	田中太郎	=SUMIFS(H2:H100,C2:C100,J2)		
	佐藤花子			
	鈴木一郎			
	山田花子			
	小林太郎			

実際のシートで考える

図4 ChatGPTの説明に従って数式を入力する。提示された数式をExcelにコピぺして、「合計売上の範囲」などと書かれた部分を、該当するセル範囲に置き換えよう

▶自分のシートに合わせて数式を改善させる

合計売上はB列ではなくH列。数式を改善して

あなたが例に出した数式を次のように改善して下さい。
1.「合計売上」は、B列ではなくH列にあります。
2.あなたの数式では、シートの100行目までを計算の参照範囲にしています。しかし、列全体を参照して下さい。

先ほどは失礼。修正しました

申し訳ありません、先ほどの数式の説明において不正確な情報を提供しました。以下は、修正された数式のステップバイステップの説明です。

1. 担当者別の売上金額を表示するセルを選択します。例えば、セルA2に担当者別の売上金額を表示したい場合、セルA2を選択します。

2. 数式バーに以下の数式を入力します。

```scss
=SUMIFS(合計売上の範囲, 担当者の範囲, 担当者のセルの値)
```

📋 Copy code

範囲は「H:H」です

各部分の説明は以下の通りです。

- 合計売上の範囲: 売上金額が記録されている列の範囲を指定します。例えば、合計売上がH列全体に記録されている場合、範囲はH:Hとなります。

- 担当者の範囲: 担当者が記録されている列の範囲を指定します。例えば、担当者がC列全体に記録されている場合、範囲はC:Cとなります。

- 担当者のセルの値: 担当者の名前が入力されているセルの位置を指定します。例えば、担当者の名前がD2のセルに記録されている

図5 提供された説明を、手元にあるExcelシートの状況に合わせて改善してもらうことも可能だ。「合計売上はB列ではなくH列」「100行目までではなく列全体を計算対象に」などと指示したところ、説明を修正してくれた

どと伝えると、ChatGPTはそれに合わせて数式を手直ししたり、「範囲はH：Hとなります」などと教えてくれたりする（**図5**）。ChatGPTでは続けて質問ができるという特徴を生かそう。

　この辺りは人間同士のコミュニケーションと同じだ。**一発必中を期待せず、何度も対話を重ねることで目的達成に近づいていく。**

ほかの手段を提案してもらうことも

　提案された方法が難解でわからない場合や、別の方法を望んでいる場合は、**異なるアプローチを提案してもらう**とよい。ChatGPTは文脈を理解しているので、続けて質問できるのは前述の通りだ。

　ここでは「数式を使う以外に方法はありますか？」などと尋ねたところ、「ピボットテーブル」や「Power Query」など別の機能を使うことを提案してくれた（**図6**）。それらについても、さらに追加で質問していけば、操作や設定の手順を指南してくれるはずだ。

▶ ほかの手段を提案してもらうこともできる

数式を使う以外に方法はありますか？ 〔数式以外の方法はある？〕
いくつか方法を提案して下さい。
まず、方法を短い文章で挙げてから、次にそれぞれの詳細を教えて下さい。

〔ピボットテーブルなどがあります〕

担当者別の売上を集計するために、以下の方法があります。

1. ピボットテーブルを使用する方法
2. SUMIF関数とVLOOKUP関数を組み合わせる方法
3. Power Queryを使用する方法

それぞれの方法の詳細を説明します。

1. ピボットテーブルを使用する方法：

図6 関数以外の手段を知りたい場合は、その旨を質問すればよい。ここでは「ピボットテーブル」や「Power Query」という機能を提案してくれた

Section 06 途中までできたら 「あと一歩質問」で助けてもらう

日ごろからExcelを使いこなしている人でも、関数の種類や必要な引数などを細かいところまで覚えているわけではないだろう。利用すべき関数はわかるけれど、何を引数に指定すればよいのか失念した——。そんなときはChatGPTに "あと一歩質問" で助けてもらおう。「○○という機能（関数）を

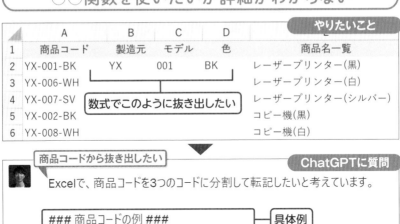

○○関数を使いたいが詳細がわからない

やりたいこと

	A	B	C	D		
1	商品コード	製造元	モデル	色		商品名一覧
2	YX-001-BK	YX	001	BK		レーザープリンター(黒)
3	YX-006-WH					レーザープリンター(白)
4	YX-007-SV	数式でこのように抜き出したい				レーザープリンター(シルバー)
5	YX-002-BK					コピー機(黒)
6	YX-008-WH					コピー機(白)

商品コードから抜き出したい

ChatGPTに質問

Excelで、商品コードを3つのコードに分割して転記したいと考えています。

商品コードの例 ### —— **具体例**
YX-001-BK → YX,001,BK に分割したい
YX-006-WH → YX,006,WH に分割したい

関数の引数がわからない

質問
質問 LEFT関数、MID関数、RIGHT関数を使うことはわかるのですが、具体的な引数がわかりません。教えて下さい。

使いたいが詳細がわからない」といったタイプの質問だ。

図1は、「YY-001-BK」といった商品コードから、「YY」「001」「BK」という3つのコードを分割して抜き出したいという例。文字列の切り出しにはLEFT関数やMID関数などを使えばよいとわかっているが、引数の指定方法を覚えていない。そうした**現状を具体的なデータと一緒にChatGPTに伝えたところ、数式の実例を提案してくれた。**

もっと効率の良い方法は?

自分が思い付いた方法のほかに、もっと効率的なやり方や応用が利く方

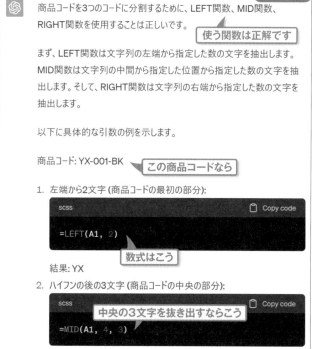

図1 途中まで自分の知識で操作したが行き詰まった――。そんな場合の質問方法も覚えておこう。例えば、文字列を抜き出すのにLEFT関数などを使えばよいことは理解しているが、具体的な引数がわからないとChatGPTに伝えたら、きちんと状況に応じた回答をしてくれた

法があるかもしれない。そこで、ChatGPTに「**ほかにも方法はありますか**」**と聞いてみよう**。その際は**各手法のメリットとデメリットも尋ねてみるとよ**い。自分の目的にマッチした手法の判断材料になる（**図2**）。

　自分で組み立てた数式でエラーが発生した際、ChatGPTにその原因をアドバイスしてもらう手もある。**具体的な数式とエラーメッセージを伝えることで、エラーの原因を推測してもらえる。**

　図3では、MID関数を使った具体的な数式と、エラー表示の「#VALUE!」

▶ ほかの方法も提案してもらう

ほかにも方法はある？ メリットとデメリットも教えて

 上記以外にも良い方法はありますか？いくつか簡潔に提案して下さい。
それぞれの方法についてメリットとデメリットを簡潔に説明して下さい。

いくつかあります

 はい、他にも商品コードを分割するためのいくつかの方法があります。以下にいくつかの提案とそれぞれのメリットとデメリットを説明します。

方法1: 文字列を区切り文字で分割する関数（例: FINDと
SUBSTITUTE）

まずはFINDとSUBSTITUTE

この方法では、区切り文字（ここではハイフン）を検索して、文字列を分割します。

例えば、商品コードがセルA1に入力されている場合、以下の数式を使用し

メリット:

メリットとデメリットはこんな感じ

- 任意の区切り文字で商品コードを分割できる柔軟性があります。
- 複雑な文字列の分割にも対応できます。

デメリット:

- 数式がやや複雑になります。
- 区切り文字の位置や数に依存しています。

図2 自分が考えている方法とは別に、もっと良い手段があるかもしれない。ほかに方法があるかも尋ねて提案してもらおう。その際は「それぞれの方法のメリットとデメリットを説明してください」などと付け加えると、どのやり方がよいか判断するのに役立つ

を伝えて、問題点を尋ねてみた。すると、「#VALUE！」エラーが発生する原因の解説とともに、引数に指定した「−3」という値に問題があると指摘してくれた（**図4**）。Excelのヘルプなどで四苦八苦するよりも、エラー解決が迅速に進むかもしれない。

他人から引き継いだExcelの数式を解説してもらう

ビジネスの現場では、ほかの人が作ったExcelのファイルを受け取って

▶エラーの原因を教えてもらう

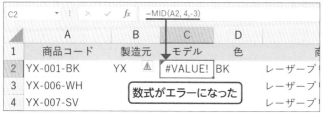

図3 正しく入力したつもりの数式がエラーとなって原因がわからないときは、具体的な数式とエラーメッセージを添えて質問すると、原因究明のヒントを得られることがある

エラーの原因を教えて

Excelでセルに数式を入力したところ、エラーとなってしまいました。原因と解決方法を教えて下さい。

数式: =MID(A2, 4, -3)
エラーメッセージ: #VALUE!

具体的な数式とエラーを明記

#VALUE!は数式の値が不正という意味

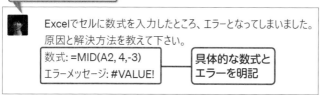

エラーメッセージ "#VALUE!" は、数式内の値が正しくないために発生しています。特に、関数MIDの引数が間違っている可能性があります。

関数MIDは、指定された文字列の中から一部の文字を取得するために使用されます。数式 "=MID(A2, 4, -3)" では、A2セルの文字列から4文字目から後ろから3文字分の部分文字列を取得しようとしています。しかし、

れば正常に動作するはずです。

「-3」を「3」に修正

修正後の数式: =MID(A2, 4, 3)

図4 MID関数の第3引数がマイナスなのが原因だと推測し、「-3」を「3」に修正した数式を提案してくれた

135

参照したり、さらに編集して使ったりすることがよくある。前任者から引き継いだExcelのファイルに、意味不明な数式が入力されていた――。そんなときには、**数式を丸ごと引用する形でChatGPTに意味を聞いてみよう**（図5、図6）。詳しく解説してくれるはずだ。

この場合も、「ステップバイステップで」と添えて説明を頼むことをお勧めする。「新入社員でもわかりやすい文体で」などと付けるのも効果的だ。

▶ **数式の意味を解説してもらう**

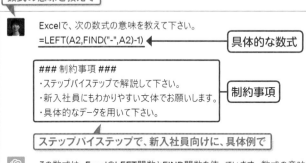

	A	B	C	D	
1	商品コード	製造元	モデル	色	
2	YX-001-BK	=LEFT(A2,FIND("-",A2)-1)			レーザープ
3	YX-006-WH	YX	006	WH	レーザープ
4	YX-007-SV	Y数式の意味がわからない			レーザープ
5	YX-002-BK	YX	002	BK	コピー機(黒
6	YX-008-WH	YX	008	WH	コピー機(白
7	YX-009-SV	YX	009	SV	コピー機(シ

図5 前任者が作った数式の意味がわからない。あるいはChatGPTに提案された数式で正しく計算できたものの、その意味が不明。そんなときは数式の意味を解説してもらおう

数式の意味を教えて

Excelで、次の数式の意味を教えて下さい。
=LEFT(A2,FIND("-",A2)-1) ◀━━ 具体的な数式

制約事項
・ステップバイステップで解説して下さい。
・新入社員にもわかりやすい文体でお願いします。 ◀━ 制約事項
・具体的なデータを用いて下さい。

ステップバイステップで、新入社員向けに、具体例で

この数式は、ExcelのLEFT関数とFIND関数を使っています。数式の意味をステップバイステップで説明します。

1. 最初に、数式内のA2というセルを参照しています。A2は特定のセルのアドレスを表していますが、具体的なデータがわからないため、例として「ABC-123」という文字列を仮定します。

2. FIND関数は、指定したテキスト内で特定の文字列を検索し、その位

図6 具体的な数式のほか、見出し付きの制約事項として「ステップバイステップで」「新入社員にもわかりやすい文体で」と添えた。さらに「具体的なデータを用いてください」と加えることで具体例を使った解説を求められる

言語処理能力を発揮！データを読み取って表にまとめる

ChatGPTが最も力を発揮するタスクは言語処理である。例えば**図1**の表では、たくさんある商品を「オフィス用品」「AV機器」「PC関連機器」のいずれかに分類しようとしている。**こうした"考える処理"はExcelには不可能だが、ChatGPTにはできる。**天文学的な数の文章を学習した自然言語処理AIならではの特技といってよいだろう。

Excelは「『コピー機』は『オフィス用品』に分類される」といった判断はできないが、自然言語処理AIならお手のもの。通常なら人間が1つひとつ判

商品の分類をChatGPTに考えさせる

	A	B	C	D
1	商品コード	商品名	商品分類	
2	YX-0001	レーザープリンター		
3	YX-0002	コピー機		
4	YX-0003	プロジェクター		
5	YX-0004	ノートパソコン		
6	YX-0005	モニター		
7	YX-1001	ワイヤレスヘッドフォン		
8	YX-1004	Bluetoothスピーカー		
9	YX-1005	ノートブック		
10	YX-1006	スマートウォッチ		
11	YX-1007	コーヒーメーカー		
12	YX-1009	ワイヤレスマウス		

分類を考えて手入力するのは手間と時間がかかる

図1 商品名から分類を考えるという知的な作業は、Excelでは自動化できない。かといって、1つずつ自分で考えて手入力していくのは大変だ。こんな面倒な作業もChatGPTにまかせられる

断して分類していかなければならないが、AIに頼めばあっという間だ。

条件は見出しで整理、具体的なデータはExcelからコピペ

質問するときは、「###」などの記号で見出しを立て、条件を明確にしよう。質問に添える具体的なデータは、Excelからコピペすればよい。回答はExcelにコピペしやすいよう、表形式で出力してもらう。図2にプロンプトの例を示したので参考にしてほしい。結果は図3の通りだ。

▶分類の候補や対象データを具体的に記述

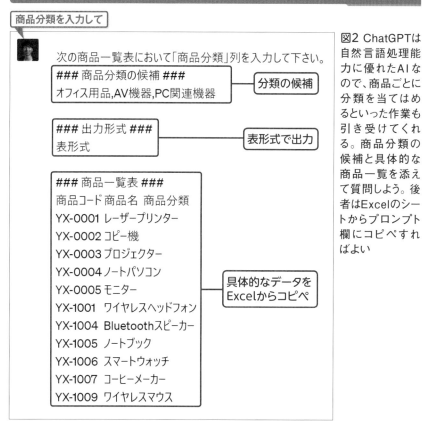

商品分類を入力して

次の商品一覧表において「商品分類」列を入力して下さい。

商品分類の候補
オフィス用品,AV機器,PC関連機器 ← 分類の候補

出力形式
表形式 ← 表形式で出力

商品一覧表
商品コード 商品名 商品分類
YX-0001 レーザープリンター
YX-0002 コピー機
YX-0003 プロジェクター
YX-0004 ノートパソコン
YX-0005 モニター
YX-1001 ワイヤレスヘッドフォン
YX-1004 Bluetoothスピーカー
YX-1005 ノートブック
YX-1006 スマートウォッチ
YX-1007 コーヒーメーカー
YX-1009 ワイヤレスマウス

← 具体的なデータをExcelからコピペ

図2 ChatGPTは自然言語処理能力に優れたAIなので、商品ごとに分類を当てはめるといった作業も引き受けてくれる。商品分類の候補と具体的な商品一覧を添えて質問しよう。後者はExcelのシートからプロンプト欄にコピペすればよい

なお、ChatGPTの回答は100%正確だとは限らない。間違えることもしばしばあるので必ず確認し、間違いがあったら手作業で直す。ビジネス現場でこれを怠ると、自分の評価が下がるだけでなく、「AIなんぞに頼るからだ」とChatGPTに対する周囲の印象まで悪くしてしまう。

　ビジネスにおいてはChatGPTの回答をうのみにせず、あくまでも支援ツールとして使うという心構えが大切だ。

文章から目当てのキーワードを抜き出す

　ChatGPTは、文章からキーワードや固有名詞などを抜き出す処理にも使える。次に紹介する例は、商品の在庫に関する備考の文章から、欠品中の

●表にならなかったら、「表形式で」と依頼する

 表形式でもう一度出力して下さい。 ← 一発で表にならなかった場合

以下が商品一覧表の表形式の出力です。

商品コード	商品名	商品分類
YX-0001	レーザープリンター	オフィス用品
YX-0002	コピー機	オフィス用品
YX-0003	プロジェクター	AV機器
YX-0004	ノートパソコン	PC関連機器
YX-0005	モニター	PC関連機器
YX-1001	ワイヤレスヘッドフォン	AV機器
YX-1004	Bluetoothスピーカー	AV機器
YX-1005	ノートブック	PC関連機器
YX-1006	スマートウォッチ	AV機器
YX-1007	コーヒーメーカー	オフィス用品
YX-1009	ワイヤレスマウス	PC関連機器

図3　一度目の回答では表形式で出力されないことがある。その場合は「表形式でもう一度出力してください」と依頼したり、「Regenerate response」ボタンを押して何度か回答を再生成してみよう。表形式で出力されたら、それをコピーしてExcelのシートに貼り付ければよい

店舗だけを抽出して列挙するという処理（図4）。これもExcelだけではできない。「在庫の有無」や「店舗名の識別」といった文章の解析処理が必要になるからだ。ChatGPTによる結果は上々（図5、図6）。もちろん間違いも発生するが、人がイチから文章を確認して店舗名を入力していくよりは、チェック作業だけで済む分、時短になる。

　　自然言語処理が得意なChatGPTは、文章の翻訳や要約もおまかせ。メールの文面や案内状などの作成にも利用できるが、表形式のデータであってもその能力を十二分に発揮する。142ページ図7、図8では図4と同じ表を使い、**商品名を英語に翻訳し、備考を1行程度に要約**させた。表全体をまとめて処理できるのは非常に魅力的だ。

　　こうした表形式のデータは、拡張機能として提供されているアドインの関

▶文章を基に欠品中の店舗を抽出させる

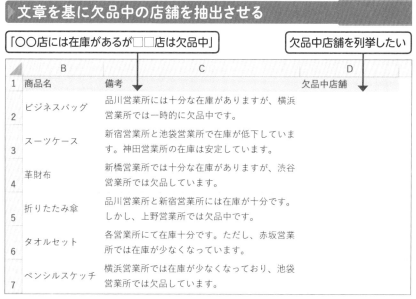

「〇〇店には在庫があるが□□店は欠品中」　　　　　　　　　欠品中店舗を列挙したい

	B	C	D
1	商品名	備考	欠品中店舗
2	ビジネスバッグ	品川営業所には十分な在庫がありますが、横浜営業所では一時的に欠品中です。	
3	スーツケース	新宿営業所と池袋営業所で在庫が低下しています。神田営業所の在庫は安定しています。	
4	革財布	新橋営業所では十分な在庫がありますが、渋谷営業所では欠品しています。	
5	折りたたみ傘	品川営業所と新宿営業所には在庫が十分です。しかし、上野営業所では欠品中です。	
6	タオルセット	各営業所にて在庫十分です。ただし、赤坂営業所では在庫が少なくなっています。	
7	ペンシルスケッチ	横浜営業所では在庫が少なくなっており、池袋営業所では欠品しています。	

図4　商品一覧の備考欄に、各店舗での在庫状況が文章として記載されている。それを基に欠品中の店舗を抜き出したい。この「文章を読み取る」というインテリジェントな作業もExcelでは不可能。ChatGPTの自然言語処理能力に頼ろう

次の商品一覧表において「備考」列から欠品中の店舗名を抽出し、「欠品中店舗」列に入力して下さい。

欠品中の店舗名を抜き出して

出力形式
以下の列を含む表形式で出力して下さい。
商品名,欠品中店舗

商品名と欠品中店舗を表形式で

商品一覧表
商品名 備考 欠品中店舗
ビジネスバッグ 品川営業所には十分な在庫がありますが、横浜営業所では一時的に欠品中です。
スーツケース 新宿営業所と池袋営業所で在庫が低下しています。神田営業所の在庫は安定しています。
革財布 新橋営業所では十分な在庫がありますが、渋谷営業所では欠品しています。
折りたたみ傘 品川営業所と新宿営業所には在庫が十分です。しかし、上野営業所では欠品中です。
タオルセット 各営業所にて在庫十分です。ただし、赤坂営業所では在庫が少なくなっています。
ペンシルスケッチ 横浜営業所では在庫が少なくなっており、池袋営業所では欠品しています。
ボールペン 渋谷営業所と新宿営業所には在庫がありますが、上野営業所では欠品中です。
メモ帳 品川営業所と赤坂営業所では在庫が充実しています。しかし、

具体的なデータをExcelからコピペ

図5 「商品名」と「欠品中店舗」という2列の表として出力するように条件を指定。商品一覧表のデータ（図4）をExcelからコピペしてChatGPTに依頼した

以下の表形式で出力します。

商品名	欠品中店舗
ビジネスバッグ	横浜営業所
スーツケース	新宿営業所と池袋営業所
革財布	渋谷営業所
折りたたみ傘	上野営業所
タオルセット	赤坂営業所
ペンシルスケッチ	横浜営業所と池袋営業所
ボールペン	上野営業所
メモ帳	池袋営業所
コンパクトデジタルカメラ	新橋営業所と横浜営業所
スマートフォン	新宿営業所

図6 データを読み取って、依頼した通りの表を作成してくれた。ただし、例えば「在庫が低下」を欠品中と解釈するなど、ChatGPTは間違える可能性もあるので、結果をうのみにせず必ずチェックすること

数を使って処理する方法もある。**図9**と**図10**では、「ChatGPT for Excel」というアドインが備える関数を使い、図4の抽出処理と図1の分類処理をそれぞれ行った。アドインの導入方法と基本的な使い方は、154ページで詳しく解説する。

▶翻訳と文章の要約を依頼する

商品名を英語に翻訳し、備考を要約して

以下の在庫表にて、次の文章生成を行って下さい。
・「商品名」を英語に翻訳する
・「備考」を日本語で1行程度に要約する

出力形式
表形式にまとめて出力して下さい。
表は、次の列が必要です。「商品名(英語)」、「備考(日本語で要約)」

在庫表
商品名 備考
ビジネスバッグ 品川営業所には十分な在庫がありますが、横浜営業所では一時的に欠品中です。
スーツケース 新宿営業所と池袋営業所で在庫が低下しています。神田営業所の在庫は安定しています。
革財布 新橋営業所では十分な在庫がありますが、渋谷営業所では欠品しています。

図5と同じ

英語の商品名と日本語の備考要約を表形式で

図7 翻訳や文章の要約もChatGPTの得意分野。図4の表を基に商品名を英語に翻訳し、備考の文章を1行程度に要約するよう求めた。「商品名（英語）」と「備考（日本語で要約）」の表にまとめるように見出し付きで要求。具体的な表は図5と同様にExcelシートからコピペした

商品名(英語)	備考(日本語で要約)
Business Bag	品川営業所: 在庫十分、横浜営業所: 一時的に欠品中
Suitcase	新宿営業所と池袋営業所: 在庫低下、神田営業所: 在庫安定
Leather Wallet	新橋営業所: 在庫十分、渋谷営業所: 欠品中
Foldable Umbrella	品川営業所と新宿営業所: 在庫十分、上野営業所: 欠品中
Towel Set	各営業所: 在庫十分、赤坂営業所: 在庫少なくなっている
Pencil Sketch	横浜営業所: 在庫少なくなっており、池袋営業所: 欠品中

図8 依頼した通り、商品名を英語に翻訳しつつ、備考欄を要約した表を生成してくれた

▶アドインの関数から呼び出す方法も

=AI.ASK("欠品中の営業所名をカンマ区切りで抽出",C2)

	A	B	C	D
1	商品ID	商品名	備考	欠品中店舗
2	3001	ビジネスバッグ	品川営業所には十分な在庫がありますが、横浜営業所では一時的に欠品中です。	=AI.ASK("欠品中の営業所名をカンマ区切りで抽出",C2)
3	3002	スーツケース	新宿営業所と池袋営業所で在庫が低下しています。神田営業所の在庫は安定しています。	
4	3003	革財布	新橋営業所では十分な在庫がありますが、渋谷営業所では欠品しています。	

▼

	A	B	C	D
1	商品ID	商品名	備考	欠品中店舗
2	3001	ビジネスバッグ	品川営業所には十分な在庫がありますが、横浜営業所では一時的に欠品中です。	横浜営業所
3	3002	スーツケース	新宿営業所と池袋営業所で在庫が低下しています。神田営業所の在庫は安定しています。	新宿営業所,池袋営業所
4	3003	革財布	新橋営業所では十分な在庫がありますが、渋谷営業所では欠品しています。	渋谷営業所
5	3004	折りたたみ傘	品川営業所と新宿営業所には在庫が十分です。しかし、上野営業所では欠品中です。	上野営業所
	3005	タオルセット	各営業所にて在庫十分です。ただし、赤坂営業所で	赤坂営業所

下へコピー

図9 「ChatGPT for Excel」などのアドインを利用すると、関数式で直接ChatGPTにアクセスして結果をセルに表示できる（導入方法は154ページ参照）。「＝AI.ASK（プロンプト,値）」という書式で利用できるので、上図のような数式を立てれば、備考（C2セル）の文章から、欠品中の店舗を抜き出すことができる。この数式をD2セルに入れて、下へコピーすれば、各行で欠品中店舗を抜き出せる（下）

=AI.ASK("次の商品名を[オフィス用品,AV機器,PC関連機器]のいずれかに分類して",B2)

	A	B	C
1	商品コード	商品名	商品分類
2	YX-0001	レーザープリンター	PC関連機器
3	YX-0002	コピー機	オフィス用品
4	YX-0003	プロジェクター	AV機器
5	YX-0004	ノートパソコン	PC関連機器
6	YX-0005	モニター	PC関連機器
7	YX-1001	ワイヤレスヘッドフォン	PC関連機器

図10 137ページ図1の商品分類をアドイン関数で行う例。AI.ASK関数の第1引数「プロンプト」で質問を指定し、第2引数「値」で対象を指定する

第3章 Excel×ChatGPT仕事術

Section 08 VBAの記述も頼める 面倒な操作をマクロで自動化

ChatGPTが得意とする能力の1つに、プログラム（コード）の生成がある。対応できる言語は多種多様で、PythonやJavaなどはもとより、ExcelのVBAも例外ではない。簡単なプログラムなら、ChatGPTに適切な要件を伝えるだけで生成できることが多い（**図1**）。

VBAのコードを記述させる

やりたいこと

	A	B	C	D	E		
1	開催日	セミナー名	受講料	定員	受講者数	受講率	売上金額
2	2022/4/11	医療事務	8,000	20	12	60%	96,000
3	2022/4/25	介護職員基礎研修	6,400	20	17	85%	108,800
4	2022/5/12	OA事務科	3,200	25	22	88%	70,400
5	2022/5/17	介護職員基礎研修	6,400	10	10	100%	64,000
6	2022/5/18	キャリアカウンセラー育成科	4,000	20	16	80%	64,000
7	2022/5/29	Webデザイナー養成科	5,200	20	16	80%	83,200
8	2022/6/6	フラワーコーディネイター	8,000	30	13		104,000
9	2022/6/19	サーバー＆ネットワーク構築科	8,800	40	18		158,400
10	2022/6/27	CADオペレーター（基礎）	5,000	22	19	86%	95,000
11	2022/6/30	ファイナンシャルプランナー養成講座	6,800	12	8	67%	54,400
12							
13							
14							
15							
16							
17							

余計な図形や塗りつぶしを消したい

ChatGPTに質問

 Excel VBAで、以下の要件を満たすコードを生成して下さい。

図形と塗りつぶしを消すVBAのコードを書いて

\#\#\# 要件 \#\#\#
・全シートで以下の処理をする。
・シートにある全ての図形やオブジェクトを削除する。
・シートの2行目〜最終行まで、セルの塗りつぶしの色を削除する。

質問するときは、「以下の要件を満たすコードを生成して」と前置きしつつ、「###要件###」のような見出しで区切って、やりたいことを箇条書きにするとよい。「シートの2行目〜最終行まで、セルの塗りつぶしの色を削除する」などと、具体的に記述しよう。「現在のシートで」「選択範囲で」などと操作対象も指定するのがコツ。曖昧さを排除して回答を限定する質問ノウハウは、コード作成でも同様だ。

動作確認は慎重に！ バグによるデータ破損に注意

　コードが生成されたら、「Copy code」ボタンをクリックして丸ごとコピー。

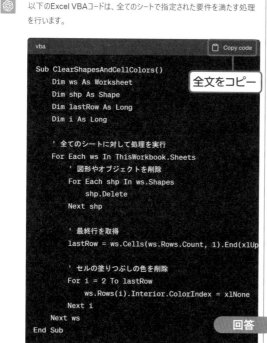

図1　VBAのプログラム（コード）を記述するには高度な知識やスキルが必要だが、ChatGPTに丸投げする手がある（左）。ブックにあるすべてのシートについて、図形を一括削除し、2行目以降の塗りつぶしを消すVBAコードを生成させてみた。回答は「コードブロック」という黒い枠内に表示される（右）。右上の「Copy code」を押すと全文をコピーできる

頼んだら
プログラムが
できちゃった

VBAの編集ツールである「Visual Basic Editor」を起動して、標準モジュールに貼り付けて実行してみる（**図2**）。適切なコードが出来上がっていれば、そのまま目的の操作を達成できることもある。

ただし、動作確認は慎重に行いたい。質問の仕方次第ではコードにバグが含まれるからだ。**しっかりと動作検証していないコードをそのままビジネ**

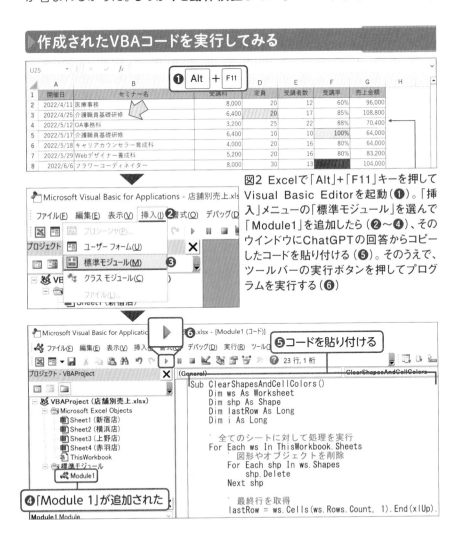

作成されたVBAコードを実行してみる

図2 Excelで「Alt」+「F11」キーを押してVisual Basic Editorを起動（❶）。「挿入」メニューの「標準モジュール」を選んで「Module1」を追加したら（❷～❹）、そのウインドウにChatGPTの回答からコピーしたコードを貼り付ける（❺）。そのうえで、ツールバーの実行ボタンを押してプログラムを実行する（❻）

スで使うのはお勧めしない。下手をするとバグのせいでデータを壊してしまう可能性もある。**データは必ず事前にバックアップし、うまく動かなかったときに元の状態を取り戻せるようにしておこう。**

VBAの知識がある人なら、コードを自分で手直しし、適切なプログラムに仕上げればよい。その場合も、イチからコードを書くよりはるかに効率良くプログラミングできるはずだ。

コードに理解できない部分があったら、ChatGPTに解説してもらう手もある（**図3**）。質問に「ステップバイステップで」と添えると、わかりやすい説

▶コードの意味を説明してもらう

上記のコードについて、新入社員にもわかる文章でステップバイステップで解説して下さい。

> ステップバイステップで解説して

以下は、新入社員にも理解しやすいようにステップバイステップで解説したコードの説明です。

Step 1: マクロを作成する

> こうやって実行します

まず、Excelを開いてください。キーボードで「Alt」キーと「F11」キーを同時に押すと、Visual Basicエディタが開きます。エディタ上で、新しいモジュールを作成します。新しいモジュールを作成するためには、エディタの左側にあるプロジェクトエクスプローラで「Microsoft Excel Objects」を展開し、「Modules」を右クリックし、「Insert」を選択し、「Module」を選びます。

> マクロ名はClearShapesAndCellColorsです

Step 2: マクロの名前を設定する

新しいモジュールが表示されるので、その中に以下のコードを貼り付けます。このコードは、マクロの名前を`ClearShapesAndCellColors`としています。この名前は後で呼び出す際に使われます。

Step 3: シートのループ処理を追加する

> ループ処理を追加します

次に、全てのシートで処理を実行するためにループ処理を追加します。コード内の`For Each ws In ThisWorkbook.Sheets`行は、Excelのワークブック内の全てのシートに対して処理を行うためのループです。

図3 生成されたVBAコードの意味をChatGPTに解説してもらうこともできる。その際は、例えば「新入社員にもわかる文章で」「ステップバイステップで」などと条件を加えるとよい。初心者でもわかるように順番に解説してくれる

明が返ってくる。初学者にとって良い学習のメンターだ。他人が書いたコードを読み解くときにも役に立つ。

　既存のコードに新機能を追加したい場合も、その旨を伝えることで具体的な修正コードを出力してもらえる（図4）。ChatGPTはそれまでの会話を覚えているので、「上記のコードに次の機能を追加して」などと追加でお願いすればよい。追加する機能を箇条書きするなどして、具体的に伝えよう。

　ここでは初歩的な例を示したが、プログラミングに関するもっと専門的な依頼もできる。例えば「数百万行のデータを高速に処理するための最適化されたアルゴリズムを実装して」などと、専門的な依頼をしてもきちんと回答があった。ChatGPTのプログラミング能力は高いので、専門知識のあるプログラマーにとっても、作業の効率化に役立つだろう。

▶ 機能を追加してもらう

次の機能を追加して

上記のコードについて、次の機能を追加して下さい。

追加する機能
・F列の「受講率」が100%の場合、セルの塗りつぶしの色を「黄色」にする
・G列の「売上金額」が100000以上の場合、フォントに太字を適用する

追加したい機能

以下のExcel VBAコードは、既存のコードに追加機能を組み込んでいます。追加機能として、F列の「受講率」が100%の場合にセルの塗りつぶしの色を「黄色」にし、G列の「売上金額」が100,000以上の場合にフォントに太字を適用します。

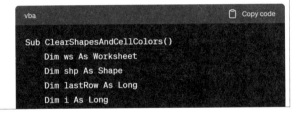

```vba
Sub ClearShapesAndCellColors()
    Dim ws As Worksheet
    Dim shp As Shape
    Dim lastRow As Long
    Dim i As Long
```

図4　生成されたコードに新しい機能を追加したい場合は、見出しを付けて追加したい機能を記述するとよい。生成されたコードを再度Visual Basic Editorにコピペし直して実行する

148

09 ダミーのデータを自動作成
CSV形式で出力も可能

　プログラムの動作確認に使ったり、プレゼン資料に仮のイメージとして
掲載したりする"ダミーデータ"が必要になるケースがある。ChatGPTには、
そんなダミーデータの生成も依頼できる。

　職場のExcelデータについてChatGPTに質問するときも、実際のデータ
をChatGPTに送信するのは流出のリスクがある（118ページ参照）。そこ
で、実際のデータと同じようなダミーデータをChatGPTに生成してもらい、
それを例にして具体的な質問をする、というのが賢いやり方だ。

　**ダミーデータの作成を依頼するときは、データの項目名や形式、件数など
を要件として伝え、表形式で出力してもらうとよい（図1）。**回答としてデータ

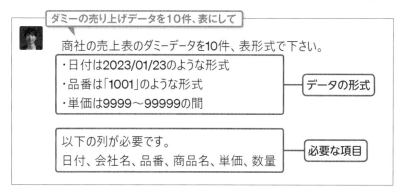

図1　売り上げなどのダミーデータを生成させることも可能だ。データの形式を箇条
書きにして、必要な項目を指定するとよい

が出来上がるので、それをコピーしてExcelのシートに貼り付けよう（図2）。単純に貼り付けると、ウェブページの書式がそのまま引き継がれるが、右下に表示されるスマートタグをクリックして「**貼り付け先の書式に合わせる**」を選べば、書式を解除できる（図3）。

CSV形式での出力も可能

ChatGPTが出力するダミーデータが、表形式にならないこともある。その

●表形式の出力をExcelに貼り付けて利用する

以下は10件の商社の売上表のダミーデータです。各列には日付、会社名、品番、商品名、単価、数量が含まれています。

日付	会社名	品番	商品名	単価	数量
2023/01/23	会社A	1001	商品A	15000	20
2023/01/23	会社B	1002	商品B	20000	15
2023/01/23	会社C	1003	商品C	30000	10
2023/01/24	会社D	1004	商品D	25000	12
2023/01/24	会社E	1005	商品E	18000	18
2023/01/25	会社F	1006	商品F	35000	8
2023/01/25	会社G	1007	商品G	40000	6
2023/01/25	会社H	1008	商品H	28000	14

図2 回答が表形式で出力されたら、表を選択してコピーする。表にならなかった場合は「表形式でもう一度出力してください」などと追加で依頼してみよう

選択してコピー

8	2023/1/25 会社G	1007 商品G	40000	6
9	2023/1/25 会社H	1008 商品H	28000	14
10	2023/1/26 会社I	1009 商品I	30000	10
11	2023/1/26 会社J	1010 商品J	32000	9
12				
13				
14				
15				
16				

❶Excelに貼り付け

🗋(Ctrl) ▾ ❷

貼り付けのオプション:

❸

更新可能な Web クエリ(W)...

図3 出力された表をコピーしてExcelに貼り付けると（❶）、そのままではウェブページの書式が適用されてしまう。右下に表示されるスマートタグをクリックして「貼り付け先の書式に合わせる」を選ぶと書式を解除できる（❷❸）

場合は、「New chat」ボタンを押して新しい会話でやり直すとよい。それでもうまくいかないときは、CSV形式で出力してもらうのも手だ。

「CSVで出力して」などとお願いすると、プログラムのコードなどと同様、「コードブロック」と呼ばれる黒い枠内に、コンマ区切りのデータとしてダミーデータが生成される（図4）。「Copy code」ボタンをクリックすれば、データをそっくりコピーできるので、それをExcelのシートに貼り付ける。

ただし、そのままではコンマ区切りのデータが1行ずつ並ぶだけだ。これを列に区切って表形式にするには、右下に表示されるスマートタグをクリッ

▶CSV形式でデータを出力させる

図4　表形式で出力されないときは、CSVで出力するように頼んでみよう。するとコンマ区切りのデータになるので、Excelなどで利用しやすくなる。「Copy code」をクリックして出力結果をコピーする

クし、「**テキストファイルウィザードを使用**」を選ぶ（**図5**）。するとウィザードが起動するので、最初の画面で「コンマやタブなどの区切り文字によってフィールドごとに区切られたデータ」を選択し、「次へ」ボタンを押す（**図6**）。続く画面で区切り文字として「コンマ」にチェックを付けると、下のプレビュー欄で、列に分割されることを確認できる。「次へ」ボタンを押すと最後の画面に移るので、各列のデータ形式を指定する（**図7**）。通常はExcelが

●「テキストファイルウィザード」で項目を分割する

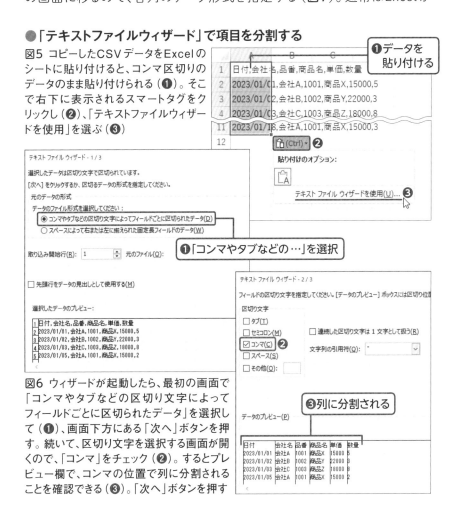

図5 コピーしたCSVデータをExcelのシートに貼り付けると、コンマ区切りのデータのまま貼り付けられる（❶）。そこで右下に表示されるスマートタグをクリックし（❷）、「テキストファイルウィザードを使用」を選ぶ（❸）

図6 ウィザードが起動したら、最初の画面で「コンマやタブなどの区切り文字によってフィールドごとに区切られたデータ」を選択して（❶）、画面下方にある「次へ」ボタンを押す。続いて、区切り文字を選択する画面が開くので、「コンマ」をチェック（❷）。するとプレビュー欄で、コンマの位置で列に分割されることを確認できる（❸）。「次へ」ボタンを押す

データ形式を自動判定するので「G/標準」のままでかまわないが、日付の列なら「日付」、文字列の列なら「文字列」を指定すると間違いがない（**図8**）。例えば、「0001」のように0で始まるデータがあるときは「文字列」と指定する。そのようなデータは「G/標準」のままだと数値と認識され、「1」に置き換わってしまうので注意しよう。

Excelに貼り付けて活用する以外に、図4でコピーしたデータを「メモ帳」などに貼り付けて、そのままCSV形式のデータとして保存することもできる。保存する際に拡張子を「csv」に変えればよい。用途に応じて必要な形で保存して、上手に活用しよう。

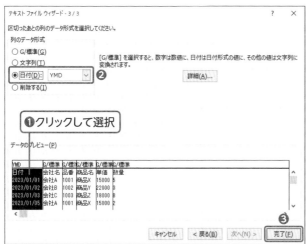

図7 各列のデータ形式を指定する画面が開く。例えば日付の列は、選択して「日付」を指定すると、セルに読み込まれたときに誤ったデータ形式にならずに済む（❶❷）。数値として認識される可能性のある文字列は、「文字列」の形式に指定すると間違いがない。必要に応じて適当な形式を指定して、「完了」を押す（❸）

	A	B	C	D	E	F	G
1	日付	会社名	品番	商品名	単価	数量	
2	2023/1/1	会社A	1001	商品X	15000	5	
3	2023/1/2	会社B	1002	商品Y	22000	3	
4	2023/1/3	会社C	1003	商品Z	18000	8	
5	2023/1/5	会社A	1001	商品X	15000	2	
6	2023/1/7	会社B	1002	商品Y	22000	6	
7	2023/1/9	会社C	1003	商品Z	18000	4	
8	2023/1/10	会社A	1001	商品X	15000	7	

図8 プレビュー欄で見た通り、各列にデータが分割され、表形式になった

アドインを追加して関数で直接ChatGPTを利用

143ページで紹介したように、Excelに「ChatGPT for Excel」などのアドインを追加すれば、**関数式から直接ChatGPTを呼び出して、その結果をセルに表示させる**こともできる。アドインとは、Excelに標準以外の機能を追加する拡張プログラムのこと。マイクロソフトが運営するOfficeアドインの

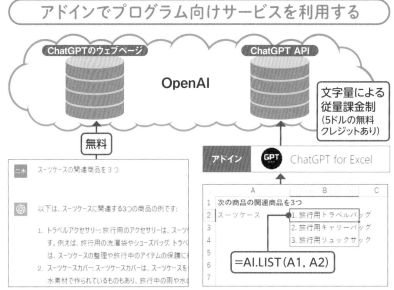

図1「ChatGPT for Excel」などのアドインを導入することで、関数式で直接ChatGPTを利用することも可能だ。各種プログラムからChatGPTを呼び出す仕組みである「ChatGPT API」を利用する。このAPIは、文字量に応じた従量課金制となるが、新規アカウントには5ドルの無料クレジットが付与され、おおよそ250万文字まで利用できる。まずはお試しで使ってみよう

ストアから、企業や個人が開発したアドインを入手できる。

　OpenAIは、一般の利用者が使うChatGPTのウェブページとは別に、ウェブサービスやプログラムが内部的に利用するための「ChatGPT API」を提供している。ChatGPT for Excelなどのアドインはそれを利用する（**図1**）。

　ChatGPTを利用するアドインは何種類かあるが、**今回は使い方がわかりやすいChatGPT for Excelを紹介しよう**。このアドインは、Microsoft 365版のExcelや、ウェブ版のExcel（Excel for the web）で利用できる。

　インストール手順は簡単だ。Excelの「挿入」タブにある「アドインを入手」ボタンをクリックして、開く画面でアドインを検索し、「追加」ボタンを押せばよい（**図2、図3**）。すると、「ホーム」画面の右端にアドインのボタンが追加さ

▶ChatGPT用のアドインをインストールする

図2 ChatGPT関連のアドインは何種類かあるが、今回は「ChatGPT for Excel」を使ってみる。Microsoft 365とウェブ版のExcelで利用できる。Excelで「挿入」タブの「アドインを入手」をクリック（❶❷）

図3 検索ボックスに「ChatGPT」と入力して「Enter」キーを押し（❶）、見つかった「ChatGPT for Excel」の「追加」ボタンを押す（❷）。続く画面でライセンス事項に同意するとインストールされる

●APIキーを取得してアドインに設定する

図4 インストールが完了すると、右側に当該アドインの作業ウィンドウが開く。あるいは「ホーム」タブの右端に追加された当該アドインのボタンを押しても開ける（❶❷）

図5 作業ウィンドウに書かれた手順（英語）に従ってAPIキーを入手して設定する。❶のリンクからOpenAIのサイトを開き、ChatGPTのアカウントでログインする。次に❷のリンクを開き、APIキーを取得してコピー（図6）。それを貼り付けて「SAVE」（保存）をクリックする（❸❹）

図6 図5❷のリンクからAPIキーのページを開いたら、「Create new secret key」をクリック（❶）。最初は「Name」タブが開くので、適当に名前を付けよう。「Create new secret key」を押すと、下図のようにAPIキーが作成されるのでコピーボタンを押す（❷）。このウィンドウを閉じると二度と表示できないので、「メモ帳」などで保存しておく

れ、クリックで作業ウィンドウを表示できるようになる（**図4**）。

ただし、**利用するにはChatGPT APIの「APIキー」が必要だ**。これはいわば、ChatGPT APIのライセンスのようなもの。送受信する文字量に応じた従量課金制となっている。新規アカウントには5ドル分の無料クレジットが付与されるので、試しに使う程度ならタダで利用できる[注1]。ChatGPT for Excelの作業ウィンドウに取得ページへのリンクがあるので、クリックしてウェブページを開き、APIキーを作成・取得しよう（**図5、図6**）。

APIキーをコピーして、ChatGPT for Excelの作業ウィンドウにある「Your OpenAI API Key」欄に貼り付け、「SAVE」ボタンを押せば設定は完了。ChatGPT for Excelが提供するアドイン関数を利用可能になる。

「=AI.ASK（プロンプト, 値）」でChatGPTの答えを表示

ここでは2種類の関数を試してみよう。AI.ASK関数は、**図7**のように単一の回答を得る関数。**引数にプロンプトを入れると、ChatGPTの答えをセルに表示する**ものだ。2つめの引数に「値」を別途指定できるので、**1つめの引数に「次の商品の分類を教えて」といったプロンプトを指定し、2つめの引**

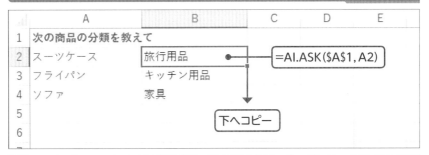

▶**AI.ASK関数で、ChatGPTからの回答を表示できる**

図7 AI.ASK（エーアイ・アスク）関数は「=AI.ASK（プロンプト, 値）」という書式で、質問と、その対象（値）を指定する［注2］。ここでは「次の商品の分類を教えて」という質問をA1セルに入力。調べる商品をA2〜A4セルに並べて、それぞれ関数式で参照した

［注1］無料トライアルは3〜4カ月間で有効期限が切れる
［注2］ほかにも、オプションで指定できる引数がある

数に「次の商品」に相当する具体的な商品を指定するとよい。図7では、A1セルにプロンプトを入力し、これを絶対参照で指定。2つめの引数にA2セルの商品名を指定した。すると、式をコピーするだけで各商品の分類を表示できるようになる。

この関数はChatGPT APIを利用してサーバーにアクセスしているため、当然のことながらネット接続のない環境では使えない。また、結果が表示されるまで多少待たされることがある（図8）。

●アクセス中はしばらく待たされることも

図8 ChatGPT APIにアクセス中は「#Bビジー!」と表示されて少し待たされる。アクセスが発生すると無料クレジットを消費するので、無駄な再計算はなるべく避けたほうがよい

複数の項目をリストアップするAI.LIST関数

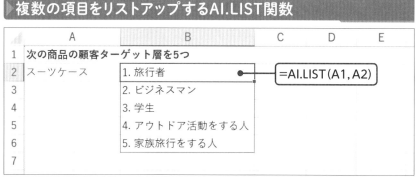

図9 AI.LIST（エーアイ・リスト）関数は、「=AI.LIST（プロンプト, 値）」という書式で質問とその対象（値）を指定すると、複数の回答を動的配列として返す。ここでは「次の商品の顧客ターゲット層を5つ」という質問に対し、「スーツケース」という対象を指定した。その結果、旅行者やビジネスマンなど5つの顧客ターゲット層がリストアップされた

「=AI.LIST（プロンプト, 値）」で複数の答えをリストアップ

もう1つ関数を紹介しよう。AI.LIST関数は、**ChatGPTによる複数の回答をリストのように列挙する**関数だ。動的配列という仕組みを利用している。引数の指定の仕方はAI.ASK関数と同じ。ある商品の顧客ターゲット層を5つ列挙させるなど、複数の答えを出させたいときに使用する（**図9**）。

さらに**図10**では、図9で提案された5つのターゲット層について、宣伝用のキャッチコピーを考えてもらった。まずC列に「&」を使った式を立て、「○

▶インテリジェントな言語処理を依頼してみよう

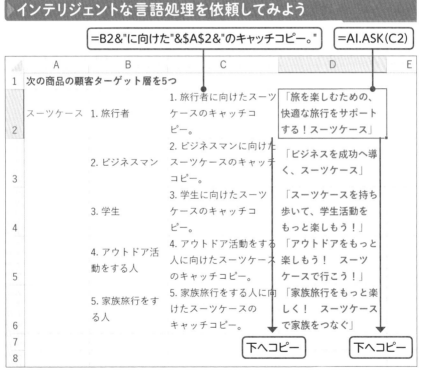

図10 図9でリストアップした5つのターゲット層に対するキャッチコピーをChatGPTに考えさせる。C列に「&」を使った式を立て、「○○に向けたスーツケースのキャッチコピー。」という文を作成。D列で、この文をプロンプトに指定したAI.ASK関数の式を立てた

○に向けたスーツケースのキャッチコピー。」をいう文をターゲットごとに作成。次にD列で、この文をプロンプトに指定したAI.ASK関数の式を立て、ChatGPTにキャッチコピーを考えさせている。**プロンプトの文を作成する際にも、数式を使って効率化しているのがポイント**だ。

　なお、これらの関数式は、再計算されるたびにChatGPTへのアクセスが発生する。ChatGPT APIの利用は従量課金制なので、再計算はなるべく避けたいものだ。そこで、**関数式の結果が表示されたら、いったんコピーして同じ場所に「値」のみ貼り付けよう**。それには「貼り付け」ボタンの下の「∨」をクリックし、「値の貼り付け」欄にある「値」を選んで貼り付ければよい。

　アドインが不要になったら、「挿入」タブにある「個人用アドイン」ボタンをクリック（**図11**）。開く画面でアドイン名を右クリックし、「削除」を選べばアンインストールできる（**図12**）。

●アドインを削除する

図11 アドインを削除するには、「挿入」タブにある「個人用アドイン」ボタンをクリックする（❶❷）

図12 開く画面で「ChatGPT for Excel」を右クリック（❶）。メニューが表示されるので、「削除」を選ぶ（❷）

第**4**章

Windows Copilot 攻略法

Windowsに、チャットAIが標準搭載されることになりました。その名も「Windows Copilot（コパイロット）」。"副操縦士"のように、あなたのパソコン操作やウェブ検索、データ処理などをアシストしてくれます。この新機能によって、パソコンの使い方や情報の収集・処理の仕方がガラリと変わることは確実。その特徴や使い方、ほかのチャットAIとの違いなどを解説します。

文／田村 規雄

新しいAIアシスタントが登場！ 「Windows Copilot」とは

ChatGPTに代表されるチャットAI（対話型AI）が世界的な注目を浴びる中、OpenAIに巨額の出資をしているマイクロソフトも、チャットAI関連の技術やサービスを次々と開発・投入している。検索サービスの新Bingや、Edgeで利用できるBingチャットはその先行例。さらに、同社が掲げている次なるキーワードが「Copilot（コパイロット）」だ。「副操縦士」を意味するこの言葉は、**パイロットを隣で支援する副操縦士のように、ユーザーの操作や情報検索、データ処理、意思決定などをAIがアシストする**ことを表す。

WindowsにチャットAIが標準搭載される

Windows Copilot
（ウィンドウズ コパイロット）

図1 Windows 11に新たに搭載される「Windows Copilot」は、チャットAIの機能をOSに標準搭載するものだ。画面の右側にパネルとして表示され、質問したり、作業をお願いしたりできる

2023年3月にはWord、Excel、PowerPoint、Outlook、Teamsといった
Microsoft 365アプリにCopilotを導入すると発表。同5月にはWindows
にも「Windows Copilot」の名称でAIアシスタント機能を標準搭載するこ
とを明らかにした。2023年後半にはWindows 11のアップデートにより、同
機能を追加するとみられる。

2023年8月の本書執筆時点では、開発中のプレビュー版が公開されて
いるので、このプレビュー版を基に、Windows Copilotの使用感や、可能
な操作などを先取りして紹介したい（**図1**）。

**Windows Copilotは、タスクバーに設けられた「Copilot」ボタンをクリッ
クするか、「Windows」+「C」のショートカットキーで起動する（図2）。タスク**

▶タスクバーのボタン、または「Windows」+「C」キーで起動

図2 Windows Copilotは、タスクバーにあるボタンのクリックで起動できる。または、
「Windows」キーを押しながら「C」キーを押しても起動できる。もう一度押すと閉じる

●タスクバーにボタンがないときは?

図3 ボタンが見当たらないときは、
タスクバーの何もないところで右ク
リックして「タスクバーの設定」を選
択（❶❷）。開く画面で「Copilot」
の項目をオンにする（❸）

バーに「Copilot」ボタンが表示されていないときは、「設定」画面を開いて表示をオンにしよう（前ページ図3）。

デスクトップ画面の右端に表示されるWindows Copilotの画面は、Edgeで利用できるBingチャットの画面に似ている（図4）。**Bingチャットの「チャット」に相当する機能を、Windows Copilotに移植したと考えればよい。**

そのためか、Windows Copilotを搭載したWindows 11では、Edgeの

▶基本的にはBingチャットと同じ

図4 Windows Copilotは、基本的には新Bingのチャット機能（Bingチャット）と同様。ブラウザーのEdgeでBingチャットを表示したときのウインドウに似たイメージだ。「より創造的に」「よりバランスよく」「より厳密に」という3つの会話スタイルを選べるのも共通。ただし、プレビュー版ではチャット機能のみで、文章の生成に特化した「作成」のメニューなどは用意されていない

画面右上にある「Bingチャット」ボタンをクリックしたときにも、Windows Copilotが起動するようになる（図5）。といっても使い方は共通。下端の入力欄に質問や要望を入れて送信するだけだ（図6）。

結果の表示方法もBingチャットと同じで、**回答文中や末尾の「詳細情報」欄に、情報の出典元へのリンクが用意される**。それをクリックするとEdgeで

▶Edgeのボタンからも呼び出せるようになる

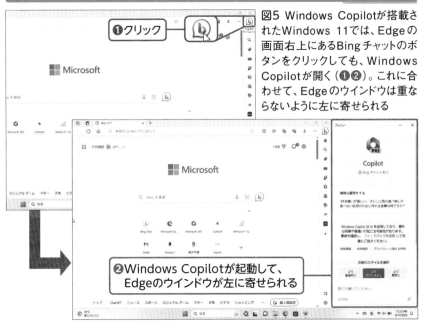

❶クリック

❷Windows Copilotが起動して、Edgeのウインドウが左に寄せられる

図5 Windows Copilotが搭載されたWindows 11では、Edgeの画面右上にあるBingチャットのボタンをクリックしても、Windows Copilotが開く（❶❷）。これに合わせて、Edgeのウインドウは重ならないように左に寄せられる

▶Windows Copilotに質問してみよう

質問や要望を
入力してクリック、
または **Enter**

図6 使い方はBingチャットと同様。下端の入力欄に質問や要望を入れて「Enter」キーを押すか、紙飛行機のアイコンをクリックする

該当ページが開くので、情報の適切さを検証できる（**図7**）。

　このようにWindows Copilotは、本書でこれまで紹介してきた新Bing／Bingチャットと、ほぼ同じことができると考えればよい。つまり、**前章までに解説してきたチャットAIの活用ノウハウは、そのままWindows Copilotでも生かせる**わけだ。いちいちブラウザーを起動してChatGPTや新Bingのウェブサイトを開いたり、EdgeでBingチャットを起動したりしなくても、タスクバーのボタンをクリックするだけで、チャットAIに質問したり、助けを求めたりできる。その手軽さが最大の魅力となりそうだ。

▶出典元をEdgeで開いて確認できる

図7　Bingチャットと同様、表示された回答には、出典元へのリンクが提示されている（❶❷）。これらをクリックすると、Edgeが起動してそのページが開く（❸）

❶回答が表示される

❷出典元へのリンク

Bingチャットと同じだ

❸Edgeで出典元のウェブページが開く

Edge

ウェブページの要約も可能
海外サイトは翻訳して要約

　前述の通り、Windows Copilotは従来のEdgeで利用できるBingチャットと同様の機能を備えている。EdgeのBingチャットでは、表示中のウェブページについても質問できたが、Windows Copilotでもそれは変わらない。**Edgeでウェブページを表示しているときは、Windows Copilotにそのウェブページについて質問したり、内容の要約を依頼したりできる（図1）。**

図1 Bingチャットと同様、Edgeでウェブページを閲覧中に「このページを要約して」などと頼めば（❶）、表示中（アクティブ）のウェブページの概要をまとめてくれる（❷）

Edgeで表示中のウェブページをWindows Copilotが読み取れない場合は、設定を確認しよう。Windows Copilotの画面右上にある「…」をクリックして「設定」を選ぶと、「Windows CopilotでMicrosoft Edgeのコンテンツを使用できるようにする」という設定項目がある（**図2**）。これがオフだとEdgeとの連携機能を利用できない。

　プレビュー版では、Edgeコンテンツの使用に関する設定しか用意されていないが、正式版では、ほかのブラウザーやWord、Excelなどのアプリに関しても、連携可能になることを期待したい。

外国語のページを翻訳したうえで要約させる

　前章までに紹介した通り、チャットAIは翻訳も得意だ。Edgeで海外のウェブサイトを表示しているとき、**Windows Copilotに「このページの内容を日**

▶Edgeと連携するための設定を確認

図2 Edgeで表示中のウェブページから内容を読み取れないときは、設定を確認しよう。Windows Copilotを表示して、右上隅にある「…」をクリックし、「設定」を選択（①②）。「Windows CopilotでMicrosoft Edgeのコンテンツを使用できるようにする」をオンにする（③）

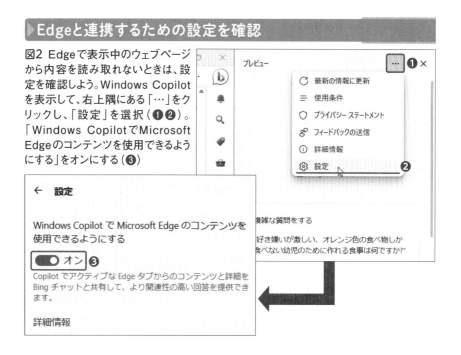

本語で説明して」などと頼めば、外国語のウェブページでも簡単にその内容を把握できる（**図3**）。「500文字以内」などと文字数を指定すれば、それに合わせて簡潔にまとめてくれるのでありがたい。

　最近はブラウザー自体が外国語の翻訳機能を搭載しているので、わざわざWindows Copilotに翻訳を頼む必要はないのかもしれない。ただ、上記のように、翻訳したうえで要約までできるのが、チャットAIの真骨頂。あらかじめ大ざっぱな内容を把握したうえで、必要なら全体を翻訳して詳しく読むようにすれば、「読んでみたけど、期待した内容と違っていた」といった事態を回避し、無駄な時間を削減できるだろう。

▶英語のページを翻訳して要約も可能

図3 海外のウェブサイトを閲覧しているとき、Windows Copilotに「このページの内容を日本語で説明して」などと頼めば（❶）、翻訳したうえで内容を要約してくれる（❷）。「500文字以内で」などと分量を指定すれば、より簡潔にまとめてくれるので、すべてを読む時間がないときなどに効果的だ

PDFファイルも要約できる
ページ数が多くてもOK

Windows Copilotは、PDFファイルを参照して要約することなどもできる（**図1**）。前項では、Edgeで表示したウェブページを要約させる手順を解説したが、Edgeは標準でPDFの表示にも対応している。そのため、Edge上でPDFを開けば、そのままWindows Copilotに「このPDFを要約して」などと依頼することが可能だ（**図2**）。

Edgeで開いたウェブページやPDFの要約を頼めることのメリットは、文字数の制限が基本的にないこと。メッセージの入力欄にテキストを貼り付

PDFファイルの要約も頼める

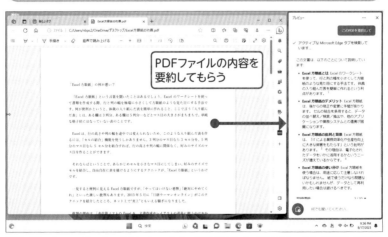

図1 Windows Copilotでは、ウェブページだけでなく、PDFファイルの要約も可能だ。プレビュー版では、EdgeでPDFファイルを開くことで、その内容を読み取れる

けて要約などを依頼する場合は、送信できるテキストの上限が4000文字と決まっているので、それよりも長い文章の要約は頼めない[注]。一方、**ウェブページやPDFの場合、その上限を超える文字数であっても、全体を読み取って要約などをしてくれるようだ**（次ページ図3）。

長いPDFも要約可能、該当箇所をワンクリックで表示

筆者が試したところ、300ページを超える書籍のPDFでも、最後の章までが要約の対象に含まれていた。ただし、ページ数が多いPDFの場合、全体を複数のパートに分割して個々に要約するため、「PDF全体を1000文字以

▶EdgeでPDFを開けば、Windows Copilotで判読可能に

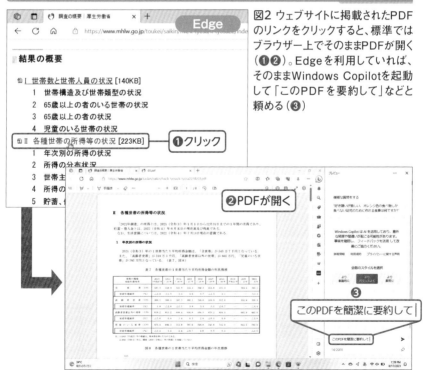

図2 ウェブサイトに掲載されたPDFのリンクをクリックすると、標準ではブラウザー上でそのままPDFが開く（❶❷）。Edgeを利用していれば、そのままWindows Copilotを起動して「このPDFを要約して」などと頼める（❸）

[注]会話のスタイルが「よりバランスよく」では2000文字、
それ以外のスタイルは4000文字が上限とされている

✓ アクティブな Microsoft Edge タブを検索して
います...

このページの第一部は以下の内容について説
明しています：

- **各種世帯の所得等の状況**：2021年の1世
  帯当たり平均所得金額は545万7千円で、
  前年より3.3%減少した。[1] 高齢者世帯
  は318万3千円で、全世帯の約6割に相当
  する。[2] 所得の種類別では、全世帯では
  稼働所得が73.2%を占めるが、高齢者世
  帯では公的年金・恩給が62.8%を占め
  る。

- **貯蓄、借入金の状況**：2022年の貯蓄状
  況をみると、全世帯では貯蓄がある割合
  は82.4%で、1世帯当たり平均貯蓄額は
  1368万3千円となっている。[3] 借入金の
  状況をみると、全世帯では借入金がある
  割合は24.7%で、1世帯当たり平均借入金
  額は390万6千円となっている。[4]

- **貧困率の状況**：2021年の貧困線は127万

> PDFの内容を読み取って
> 要約してくれた

図3 PDFの内容をWin
dows Copilotが読み
取り、書かれている内容
や要点をまとめてくれ
る。ページ数の多い
PDFでも、文字数の制
限なく読み取ってくれる
ようだ。なお、Windows
10のEdgeでも、Bing
チャットで同様のことが
できる

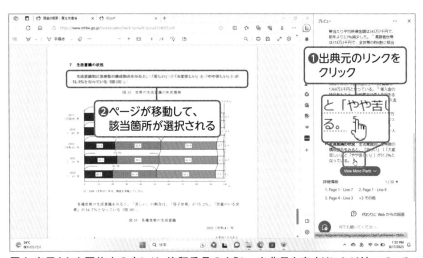

図4 表示された要約文の中には、注釈番号のように、出典元を表すリンクが付いている。
それをクリックすると（❶）、PDF内の該当箇所にジャンプできるので便利だ（❷）。正しく
要約されているかどうか、確認することもできる

内で要約して」といった要望には応えてくれなかった。一方で、「このPDFの第3部には何が書かれている?」「○○についての解説はあるか?」といった質問には、全体を見通したうえでの的確な回答をしてくれた。

　また、Bingチャットによる通常の回答やウェブページの要約文などと同様、文中に出典元へのリンクが用意される点も便利なところ。**注釈番号のようなリンクをクリックすると、該当するページが開いて、その場所が選択される**(**図4**)。要約を読んで概要を把握したうえで、詳細を知りたければリンクをクリックして開くといった使い方ができる。

　なお、ウェブページやPDFの要約を依頼するときは、入力欄の左にある「新しいトピック」ボタンを押して、それまでの会話を削除したまっさらな状態で実行したほうがよい(**図5**)。繰り返し述べてきた通り、チャットAIは会話の流れを回答に反映させるので、同じ会話の中で複数の要約作業を頼

▶別のPDFを対象にするときは

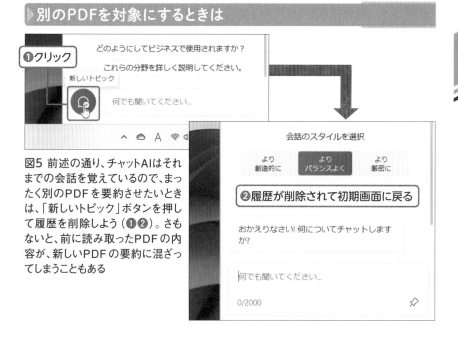

図5 前述の通り、チャットAIはそれまでの会話を覚えているので、まったく別のPDFを要約させたいときは、「新しいトピック」ボタンを押して履歴を削除しよう(❶❷)。さもないと、前に読み取ったPDFの内容が、新しいPDFの要約に混ざってしまうこともある

むと、以前のページやPDFの内容が新しい回答にも反映されて、ごちゃ混ぜになってしまうことがあるからだ。

　ウェブ上で公開されているPDFだけでなく、**パソコン内に保存されているPDFファイルをWindows Copilotに要約させることもできる**。それには、PDFファイルをEdgeの画面内にドラッグ・アンド・ドロップして、EdgeでPDFを開けばよい（図6）。すると、ウェブ上で開いたPDFと同様に、「このPDFを要約して」と頼める（図7）。

　なお、マイクロソフトの発表によると、**Windows Copilotの入力欄にPDFファイルを直接ドラッグ・アンド・ドロップして、その要約などを依頼することも可能になる**予定（図8）。プレビュー版では試せなかったが、この機能が搭載されれば、使い勝手はさらに向上するだろう。

▶パソコン内にあるPDFファイルも対象にできる

図6 パソコン内にあるPDFファイルを要約してもらいたいときは、Edgeのウインドウにファイルをドラッグして、Edgeで開く（❶❷）。そのうえで、Windows Copilotを起動する（❸）

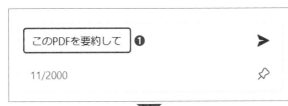

図7 ファイルがEdgeで開かれていれば、ウェブ上にあるPDFと同じ扱いになる。「このPDFを要約して」などとWindows Copilotに頼めば（❶）、その場で要約してくれる（❷）

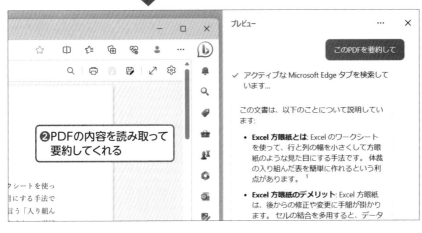

❷PDFの内容を読み取って要約してくれる

▶ファイルのドラッグ・アンド・ドロップで直接依頼も可能に

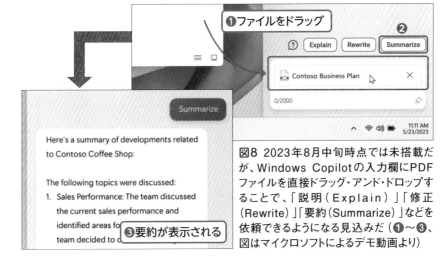

❶ファイルをドラッグ

❸要約が表示される

図8 2023年8月中旬時点では未搭載だが、Windows Copilotの入力欄にPDFファイルを直接ドラッグ・アンド・ドロップすることで、「説明（Explain）」「修正（Rewrite）」「要約（Summarize）」などを依頼できるようになる見込みだ（❶〜❸、図はマイクロソフトによるデモ動画より）

コピーした文章を自動処理 表の内容も分析できる

Edgeで利用できるBingチャットにはない、Windows Copilotの独自機能もある。**Windowsのクリップボードとの連携**だ。

従来のEdgeでは、Bingチャットを開いた状態でウェブページ内の文字

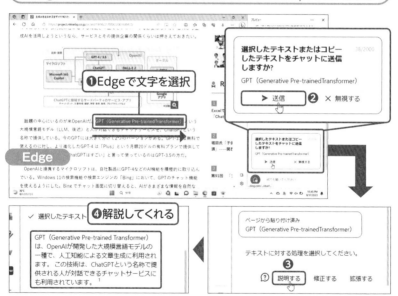

Edgeで文字を選択すると、Windows Copiotが反応

❶Edgeで文字を選択

Edge

選択したテキストまたはコピーしたテキストをチャットに送信しますか?
GPT (Generative Pre-trainedTransformer)
➤ 送信 ❷ ✕ 無視する

✓ 選択したテキスト ❹解説してくれる

GPT (Generative Pre-trained Transformer)は、OpenAIが開発した大規模言語モデルの一種で、人工知能による文章生成に利用されます。この技術は、ChatGPTという名称で提供される人が対話できるチャットサービスにも利用されています。[1]

ページから貼り付け済み
GPT (Generative Pre-trainedTransformer)

テキストに対する処理を選択してください。

❸
? 説明する 修正する 拡張する

図1 Windows Copilotを起動した状態で、Edge上で文字を選択すると（❶）、「選択したテキストまたはコピーしたテキストをチャットに送信しますか?」と尋ねてくる。「送信」を押すと（❷）、チャットに投稿されると同時に、「説明する」「修正する」「拡張する」などの選択ボタンが表示される。「説明する」を選ぶと（❸）、選択していた文字について、より詳しい解説をしてくれる（❹）

を選択すると、「…テキストをチャットに送信しますか?」と尋ねられ、「送信」を押すことで、Bingチャットにそのまま送信できた。すると、「説明する」「修正する」「拡張する」などのボタンが表示され、望みの処理をBingチャットに依頼できた。Windows Copilotにも、これと同じ機能はある（**図1**）。

　加えてWindows Copilotでは、**Edge以外のアプリで文字をコピーしたときにも、「…テキストをチャットに送信しますか?」と尋ねられる**（**図2**）。普段使っているブラウザーがグーグルのChromeであっても、ウェブページ上のテキストをWindows Copilotに送信して、「説明する」「要約する」などの

▶ほかのアプリも「コピー」するだけで送信可能に

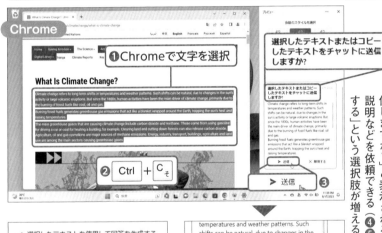

❶Chromeで文字を選択

❷ Ctrl + C

選択したテキストまたはコピーしたテキストをチャットに送信しますか?

❸ 送信

❺日本語で説明してくれる

❹ 説明する

図2 Edge以外のアプリでは、文字を選択した後、「コピー」を実行したタイミングで（❶❷）、「…テキストをチャットに送信しますか?」と表示される（❶❷）。「送信」を押せば（❸）、同様に説明などを依頼できる（❹❺）。文字数が多いときは、「要約する」という選択肢が増える

第4章　Windows Copilot攻略法

177

処理を依頼できて便利だ。**コピー操作をしてクリップボードにテキストが保存されると同時に、Windows Copilotが「…送信しますか?」と尋ねてくる仕組みなので、Word、Excel、メールなど、どんなアプリのテキストもWindows Copilotに送信できる**ことになる。

　興味深いのは、Edgeでウェブ版のExcel(Excel for the web)を利用しているときの動作だ。ウェブ版のExcelで表をコピーすると、例に漏れずそのテキストをWindows Copilotに送信できる(**図3**)。ここで「説明する」を選んでもただ表の内容をなぞるだけだが、**追加の質問候補として現れた「この表から何を読み取れますか?」を選ぶと、表を分析してデータの傾向**

▶Excelの表を分析してもらうこともできる

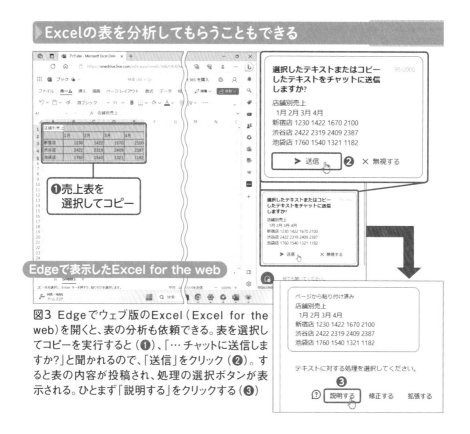

図3 Edgeでウェブ版のExcel(Excel for the web)を開くと、表の分析も依頼できる。表を選択してコピーを実行すると(❶)、「… チャットに送信しますか?」と聞かれるので、「送信」をクリック(❷)。すると表の内容が投稿され、処理の選択ボタンが表示される。ひとまず「説明する」をクリックする(❸)

や課題を解説してくれた（図4、図5）。ウェブ版Excelの場合、Edge上で表示しているため、追加の質問をしてもデータを繰り返し参照できるようだ。

　Windows Copilotが、Edge以外のアプリとも連携できるようになると、デスクトップアプリのExcelでも、このような追加質問が可能になるかもしれない。また、「Microsoft 365 Copilot」では、このような表の分析などがより簡単にできるようになると見られる（183ページ参照）。

図4 表の内容が読み取られ、何のための表で、どのような値になっているか説明される。元表に単位の記載はなかったが、金額の単位は「万円」と自動で解釈された。関連する質問として、「この表から何が読み取れますか？」と出たら、これをクリックする

> ✓ 選択したテキストを使用して回答を生成する
>
> 新宿店、渋谷店、池袋店の3つの店舗の売上が表に示されています。表は、1月から4月までの4か月間の売上を示しています。新宿店は、1月に1230万円、2月に1422万円、3月に1670万円、4月に2100万円の売上を記録しました。渋谷店は、1月に2422万円、2月に2319万円、3月に2409万円、4月に2387万円の売上を記録しました。池袋店は、1月に1760万円、2月に1540万円、3月に1321万円、4月に1182万円の売上を記録しました。

1 / 30 ●

クリック

? 代わりに Web からの回答
　他にも店舗がありますか？
この表から何を読み取れますか？
　どの店舗が最高売上でしたか？

> ✓ アクティブな Microsoft Edge タブを検索しています...
>
> この表から、以下のことが分かります。
>
> * 新宿店は4か月間で売上が**最も増加**しました。1月から4月にかけて、売上は**約70%上昇しました。新宿店は4月には最も高い売上**を記録しました。
>
> * 渋谷店は4か月間で売上が**ほぼ一定**でした。1月から4月にかけて、売上は**約3%減少しました。渋谷店は1月には最も高い売上**を記録しました。
>
> * 池袋店は4か月間で売上が**最も減少**しました。1月から4月にかけて、売上は**約33%減少しました。池袋店は4月には最も低い売上**を記録しました。
>
> この表から、新宿店が最も好調で、池袋店が最も不調であることが推測できます。渋谷店は安定していますが、競争力を高めるために

図5 新宿店は売り上げが最も増加して好調、渋谷店はほぼ一定、池袋店は最も減少して不調——などと、値の傾向を分析して解説してくれた。増減率なども計算しているが、この例では正しく計算できていた。ちなみに、表を基にグラフを作成するかとも提案されたので依頼してみたが、グラフっぽい見た目の画像が生成されただけだった

パソコン操作もおまかせ 画像も生成してくれる

Windows Copilot がほかのチャットAIと異なる最大の点は、Windows
の操作もできることだ。例えば、「画面をダークモードにして」などとお願いす
ると、「ダークモードに切り替えますか?」と確認のメッセージを表示したうえ
で、実際の設定操作まで行ってくれる(図1)。

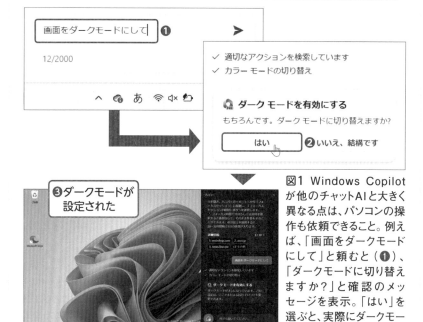

図1 Windows Copilot
が他のチャットAIと大きく
異なる点は、パソコンの操
作も依頼できること。例え
ば、「画面をダークモード
にして」と頼むと(❶)、
「ダークモードに切り替え
ますか?」と確認のメッ
セージを表示。「はい」を
選ぶと、実際にダークモー
ドになる(❷❸)

プレビュー版で実行できる操作は限られていたが、マイクロソフトのデモンストレーションでは、「仕事中にオススメの音楽は?」と聞くと、Spotifyのプレイリストをいくつかピックアップして提示し、ユーザーが選択したものを実際に再生する例などが示された。「コーヒー関連のビジネスで使うロゴ画像を作るには?」と尋ねると、無料の画像編集アプリ「Adobe Express」の利用を提案し、ロゴ制作の画面を表示するといったことまで可能になるという。

イメージを伝えるだけで、画像も生成してくれる

　そのほかWindows Copilotでは、**画像の生成も行える**。「澄んだ池の中に錦鯉が泳いでいる写真のような画像を生成して」などと、作りたい画像のイメージを伝えるだけで、自動生成してくれるのだ（図2）。マイクロソフトはBingサービスの一環として、「Bing Image Creator」という画像生成AIの

▶文章を基に画像を自動生成

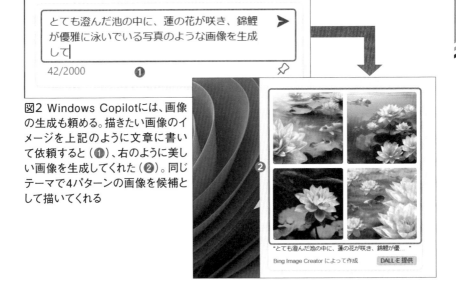

とても澄んだ池の中に、蓮の花が咲き、錦鯉が優雅に泳いでいる写真のような画像を生成して

42/2000　❶

図2 Windows Copilotには、画像の生成も頼める。描きたい画像のイメージを上記のように文章に書いて依頼すると（❶）、右のように美しい画像を生成してくれた（❷）。同じテーマで4パターンの画像を候補として描いてくれる

❷

"とても澄んだ池の中に、蓮の花が咲き、錦鯉が優…"
Bing Image Creator によって作成　DALL-E 提供

サービスをウェブ上で展開している。この機能をWindows Copilotから利用できる仕掛けになっている。

　Windows Copilotでは、**一度生成した画像に対して、対話形式で修正をお願いすることも可能**（図3）。生成された画像をクリックすると、Bing Image Creatorのウェブサイトが開いてダウンロードできる。

●修正をお願いすることも可能

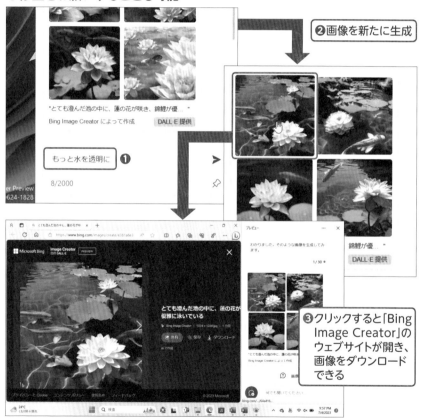

図3　チャットAIは会話の流れを覚えているので、続けて修正を依頼することも可能。図2の画像に対し、「もっと水を透明に」と希望したら（❶）、さらに透明感のある写真のような画像を描いてくれた（❷）。気に入ったものがあればクリックすると、Edgeで「Bing Image Creator」のウェブサイトが開き、より高解像度の画像をダウンロードできる（❸）

「Microsoft 365 Copilot」も登場

　マイクロソフトはビジネス向けのAIアシスタント「Microsoft 365 Copilot」の提供も計画中だ［注］。Microsoft 365の各種アプリ／サービスで利用でき、価格は1ユーザー当たり月額30ドル。企業向けのBingチャットを含み、より高性能なチャットAIを、データ漏洩の心配なく活用できるという。

　例えばWordでは、どんな文書を作りたいのかをCopilotに伝えるだけで、文書の下書きを自動作成してくれる（図1）。画面の右側にチャット用のウインドウが開き、さらなる要望や修正の依頼も可能だ。Excelでは、シート上に蓄積されたデータについて分析を依頼できる。データを読み取ってポイントを解説してくれるほか、グラフや集計表も作成してくれる（図2）。

図1　Wordに搭載されるCopilotのデモ画面（英語版）。新規文書の作成時に、どんな内容の文書にしたいかを入力すると（❶）、それに応じた文章を生成してくれる（❷）。そのうえで、画面右側のチャット欄に「もっと短めに」といった要望を伝えると（❸）、適宜、文章を書き換えてくれる

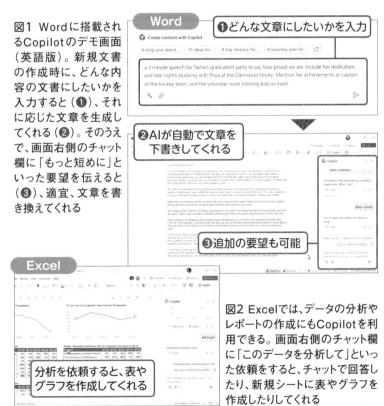

Word
Create content with Copilot
❶どんな文章にしたいかを入力
❷AIが自動で文章を下書きしてくれる
❸追加の要望も可能

Excel
分析を依頼すると、表やグラフを作成してくれる

図2　Excelでは、データの分析やレポートの作成にもCopilotを利用できる。画面右側のチャット欄に「このデータを分析して」といった依頼をすると、チャットで回答したり、新規シートに表やグラフを作成したりしてくれる

[注]2023年8月中旬時点で、正式なリリース時期は未定

日経PC21

1996年3月創刊の月刊パソコン誌。仕事にパソコンやITを活用するための実用情報を、わかりやすい言葉と豊富な図解・イラストで紹介。Windowsをはじめ、Excel、Wordなどのアプリケーションソフトやクラウドサービスの使い方、プリンター、Wi-Fiなどの周辺機器、スマートフォンの活用法まで、最新の情報を深く丁寧に解説している。パソコンやITを仕事に生かすノウハウをまとめた書籍も多数発行。

ChatGPT&Windows Copilot
実践PC仕事術

2023年9月25日　第1版第1刷発行

編　　　集	日経PC21	
執　　　筆	五十嵐俊輔、石坂勇三、岡野幸治、田代祥吾、たてばやし淳、田村規雄、服部雅幸	
発　行　者	中野　淳	
発　　　行	株式会社日経BP	
発　　　売	株式会社日経BPマーケティング 〒105-8308　東京都港区虎ノ門4-3-12	
装　　　丁	小口翔平＋嵩あかり（tobufune）	
本文デザイン	桑原　徹＋櫻井克也（Kuwa Design）	
制　　　作	会津圭一郎（ティー・ハウス）	
印刷・製本	図書印刷株式会社	

ISBN978-4-296-20320-8